13 À TABLE !
2017

Françoise BOURDIN • Maxime CHATTAM •
François d'EPENOUX • Caryl FÉREY •
Karine GIÉBEL • Alexandra LAPIERRE •
Agnès LEDIG • Marc LEVY •
Agnès MARTIN-LUGAND •
Bernard MINIER • Romain PUÉRTOLAS •
Yann QUEFFÉLEC • Franck THILLIEZ

13 À TABLE !

2017

NOUVELLES

© 2016, Pocket, un département d'Univers Poche.
ISBN : 978-2-266-27126-4

Chers lecteurs,

Grâce à toute la chaîne du livre « 13 à table ! », de l'écriture jusqu'à la fabrication, l'édition, la distribution... et vous-mêmes les acheteurs, ce sont 2 100 000 repas en plus que les Restos ont pu distribuer à ceux qu'ils accueillaient grâce aux deux premières éditions.

En leurs noms nous vous remercions bien chaleureusement et vous invitons à découvrir cette troisième édition en ouvrant ces 13 nouvelles pochettes-surprises dont l'anniversaire est le thème.

Bravo et merci à tous,

Les Restos du Cœur

Sommaire

Françoise BOURDIN

Un joyeux non-anniversaire

(Alice au pays des merveilles)

D'un dernier coup d'œil, Marianne vérifia que tout était bien à sa place. Comme chaque année depuis bientôt dix ans. Non, pas *bientôt*, ça faisait aujourd'hui exactement dix ans...

Dix ans que Malo ne venait pas fêter son anniversaire avec sa mère, son frère et sa sœur. Mais Marianne s'obstinait, continuait d'espérer, et lui trouvait des excuses auxquelles elle croyait fermement. Son fils aimait tant les voyages ! Combien de fois avait-il fait le tour du monde et raté la date, ayant toujours promis d'être là mais n'arrivant jamais ? Il était fantasque, imprévisible, mystérieux. Du moins était-ce ainsi que sa mère le voyait, si éperdue d'amour pour ce petit dernier conçu à Saint-Malo un soir de tempête.

Ses aînés, Vincent et Sophie, avaient choisi des voies classiques. Vincent était un manuel et, après une solide formation d'électricien, il avait monté sa petite entreprise qui allait cahin-caha. Pour sa part, Sophie avait obtenu son diplôme d'infirmière et travaillait dans un hôpital où elle semblait se plaire. Tous deux étaient mariés, toutefois ils ne conviaient plus leurs conjoints à cet anniversaire fantôme. Ils acceptaient de mauvaise grâce l'invitation de leur mère, sachant qu'elle aurait mitonné un bon repas, sorti sa plus jolie vaisselle, acheté un cadeau. Ils étaient là pour amortir sa déception mais ne se faisaient pas d'illusion : Malo ne viendrait pas. À force de subir son absence comme un affront, ils ne lui accordaient plus aucun crédit. Durant tout le dîner, forcément tardif puisqu'on attendait plus que de raison, ils échangeaient des regards navrés et multipliaient les compliments à l'adresse de leur mère pour tenter malgré tout de sauver la soirée. Marianne faisait bonne figure jusqu'au bout, cependant elle mangeait à peine et, dans les silences, guettait le bruit de la sonnette.

Ce soir-là ne dérogeait pas à la règle. Après un interminable apéritif, quand la bouteille de champagne fut vide et les feuilletés au fromage mangés jusqu'au dernier, Malo n'était toujours pas arrivé. Il fallut bien passer à table. Complaisant, Vincent alluma les bougies dans les chandeliers tandis que Sophie prenait des nouvelles. Leur mère, secrétaire dans un cabinet d'avocats, gagnait correctement sa vie sans rouler sur l'or et si, ses horaires étaient parfois fatigants, elle appréciait son travail.

— Encore deux ans avant ma retraite ! Remarquez, je ne suis pas pressée, j'ai peur de m'ennuyer...

— Tu voyageras, suggéra Sophie.

— Et tu t'occuperas du jardin, tu dis toujours que tu n'as pas le temps, ajouta Vincent.

Elle habitait la même maison coquette, dans la banlieue de Rouen, où elle avait élevé ses trois enfants. Leur père était parti un beau matin, alors que Malo venait d'avoir sept ans. Effondrée,

Marianne n'avait ni compris ni admis ce départ brutal. Pourtant la cause en était simple, presque banale : son mari avait rencontré une femme plus jeune et il voulait refaire sa vie. Seule face aux enfants, Marianne avait relevé la tête. Bien soutenue par ses patrons lors du divorce, elle avait obtenu la garde des enfants et la pension alimentaire qui allait avec. Au début, son ex-mari avait parfois accueilli les petits, le temps d'un week-end, puis le lien s'était distendu peu à peu et ils s'étaient vus moins souvent, tout en conservant des rapports affectueux.

Marianne aurait pu se chercher un nouveau compagnon mais elle ne l'avait pas fait, se bornant à quelques discrètes aventures éphémères. Entre son métier et ses trois enfants, son existence lui avait semblé suffisamment pleine. D'autant plus que Malo était un gamin très turbulent, ce qui lui avait valu des convocations par les instituteurs, puis les professeurs ; des cours particuliers et des inscriptions à toutes sortes de sports et activités. Mais Marianne avait une faiblesse pour lui, ce qu'elle tentait tant bien que mal de cacher aux deux aînés. Ce garçon intrépide et brouillon la faisait rire malgré elle, et surtout, il lui rappelait les temps heureux, quand son mari l'aimait encore et l'emmenait dans des auberges romantiques au bord de la mer. Les remparts de Saint-Malo, la plage de l'Éventail et la chaussée du Sillon, les grandes marées… Elle en conservait un souvenir terriblement nostalgique, et elle était revenue avec Malo, ce minuscule embryon qui allait envahir toute son existence.

Si Malo avait obtenu son permis de conduire du premier coup, il avait raté son bac deux fois.

Méprisant le système, il avait renoncé aux études d'un cœur léger et exercé d'innombrables petits boulots. Bien sûr, il dépensait l'argent plus vite qu'il ne le gagnait, néanmoins il ne réclamait rien, il se « débrouillait ». Du jour où il s'était embarqué sur un cargo, il avait contracté la passion des voyages et n'était plus revenu que rarement à la maison. Alors, pour l'attirer, Marianne avait eu l'idée de cette date anniversaire qui les réunirait, mais Malo ne s'était présenté que les deux premières années. Ensuite... les prétextes s'étaient succédé.

— Où était-il, ces derniers temps ? demanda prudemment Sophie.

— Du côté de Chypre ! répondit Marianne d'un ton triomphal.

Grâce aux cartes postales qu'il lui envoyait, elle pouvait se targuer de savoir quels points successifs du globe son fils touchait.

— Il s'y trouvait au début du mois et n'avait plus que la Méditerranée à franchir, ajouta-t-elle.

— Évidemment, c'est moins loin que Caracas ou Madagascar, ironisa Vincent.

Sophie observa sa mère quelques instants avant de risquer :

— Maman... Tu sais qu'il ne viendra pas, n'est-ce pas ?

— Pourquoi dis-tu ça ?

— Parce qu'il ne vient *jamais*.

— Mais cette fois, il a promis !

— Comme toutes les autres.

— Non ! Il m'a téléphoné la semaine dernière, et il se réjouissait par avance de vous revoir enfin et de passer ce moment en famille. Je lui ai même demandé quel cadeau lui ferait plaisir !

— Et alors ?

— Il voulait des jumelles, avoua Marianne avec un geste vers le paquet qui attendait près de l'assiette vide.

Sophie et Vincent échangèrent un nouveau regard consterné. Les jumelles iraient rejoindre au fond d'un placard d'autres paquets toujours emballés.

Il arrivait tout de même que Malo passe, à l'improviste et à n'importe quelle période de l'année. Serrant sa mère dans ses bras, il s'excusait de ses absences, promettait de venir plus souvent, puis repartait sans s'attarder. Durant ces brèves visites, Marianne ne sortait pas les cadeaux du placard, pour ne pas avoir l'air de vouloir à tout prix le retenir ou, pire, le culpabiliser. Elle aurait pu les lui expédier, malheureusement Malo voyageait trop pour avoir une adresse fixe.

— Que fait-il, en ce moment ? s'enquit Sophie.

— Il travaille sur un porte-conteneurs. Tu le connais, du moment qu'il bouge et qu'il voit du pays, il est content !

— Pas de femme dans sa vie ?

— Il n'en a pas parlé, reconnut Marianne. Je suppose qu'il multiplie les conquêtes et ne s'attache à aucune…

Elle semblait flattée à l'idée que son cadet soit un séducteur : beau, grand et athlétique, il avait des yeux de velours brun, une voix charmeuse et un rire très communicatif.

— Je trouve qu'il te manque de respect, dit soudain Vincent. On ne traite pas sa mère de cette façon ! Il est désinvolte, égoïste et indifférent.

— Qu'est-ce qui te prend ? riposta Marianne, aussitôt sur la défensive. Tu veux gâcher la soirée ?

15

— Elle l'est déjà, ma pauvre maman ! Comme chaque année, non ? Mais tu t'acharnes, tu t'aveugles, et tu nous obliges à faire semblant d'y croire, c'est pathétique. Ce faux anniversaire est une mascarade annuelle à laquelle je ne participerai plus.

— Je n'oblige personne, soupira Marianne en se levant.

Elle gagna la cuisine, laissant ses enfants désemparés et silencieux.

— Tu n'as pas tort, finit par chuchoter Sophie. Il faut que ça s'arrête, c'est devenu trop pénible.

Ensemble, ils consultèrent leurs montres. Le malaise s'aggravait, d'année en année. Ni le mari de Sophie ni la femme de Vincent ne comprenaient ce rituel familial, et ils n'avaient plus la patience de plaindre leur belle-mère, allant jusqu'à la trouver ridicule ou même folle.

— Vous prendrez du dessert ? lança sèchement Marianne.

Elle se tenait sur le seuil, le gâteau d'anniversaire à la main. Elle n'avait évidemment pas allumé les trente petites bougies plantées de guingois dans la meringue, mais ne les avait pas enlevées non plus afin de ne pas massacrer la pâtisserie. Éprouvant une soudaine bouffée de compassion, Sophie se leva et la rejoignit.

— Maman... Pourquoi t'infliges-tu ça ?

Lui ôtant le gâteau des mains, elle alla le déposer sur la table, revint vers sa mère qu'elle prit dans ses bras et raccompagna à sa place.

— Veux-tu qu'on t'aide à débarrasser, à tout ranger ?

— Non, je le ferai. Allez-vous-en puisque vous êtes si pressés !

— Tu appelles ça une *bonne* soirée ? explosa Vincent. Si au moins tu te mettais en colère contre le seul responsable de ce gâchis, au lieu de t'en prendre à nous ! Mais non, Malo a toutes les excuses, c'est l'éternel absent idéalisé, le grand voyageur retardé malgré lui, et nous les méchants parce qu'on refuse d'y croire. Quand tu fêtes *nos* anniversaires, nous sommes toujours ponctuels et heureux d'être là. Nous ne te faisons pas tourner en bourrique comme ce petit crétin de Malo.

— N'insulte pas ton frère.

— Mais ouvre les yeux, à la fin ! Malo vit sa vie, c'est son droit, et d'ailleurs il a choisi de ne pas rester dans tes jupes alors que tu le maternais, tant mieux pour lui. Malheureusement, tu n'arrives pas à t'en détacher, tu voudrais toujours que ton petit garçon chéri soit là pour souffler ses bougies. Il n'en a rien à foutre, admets-le une fois pour toutes !

Un silence glacial s'abattit sur la table. Sidérée par la brutalité de Vincent, Marianne ne réagissait pas. Sophie s'agita un peu sur sa chaise, incapable de décider si elle devait donner raison à son frère ou prendre la défense de leur mère.

— Rentrez chez vous, on doit vous attendre, finit par murmurer Marianne.

Vincent hésita un instant, puis se leva. Il était déterminé à marquer le coup pour que ce sinistre dîner d'anniversaire soit le dernier. En rudoyant sa mère, il pensait sincèrement lui rendre service, et il se sentait soulagé d'avoir enfin dit ce qu'il avait sur le cœur. À trop vouloir la ménager, Sophie et lui avaient commis l'erreur d'entrer dans un jeu malsain dont ils devaient maintenant s'échapper.

— Tu viens ? lança-t-il à sa sœur. Si tu veux, je te dépose.

Ils embrassèrent leur mère tour à tour, et Sophie lui glissa un mot gentil.

— C'était très bon, maman… Et n'oublie pas que tu viens déjeuner à la maison dimanche. J'essaierai de faire aussi bien que toi !

Marianne les laissa partir, plaquant un sourire forcé sur son visage. Toujours assise à table, elle considéra les reliefs du repas et le gâteau intact. Elle méritait ce qui venait de se produire, elle le savait. Depuis trop longtemps, elle défendait l'indéfendable. S'entêter ne changeait pas la réalité. Au lieu de s'obnubiler sur Malo, elle devait préserver ses deux aînés et leur prouver qu'elle les aimait tout autant que le petit dernier. Non, elle ne réaliserait pas son rêve de réunir toute sa famille, elle ne reformerait pas la tablée au grand complet, autant se résigner.

Fatiguée, découragée, elle posa ses coudes sur la table. Dimanche, elle irait chez Sophie, verrait son gendre et ses petits-enfants et ne songerait plus à Malo jusqu'à la prochaine carte postale. Elle avait cuisiné toute la journée, préparant avec amour une terrine de Saint-Jacques et une poularde aux morilles et aux girolles dont Malo raffolait. Un beau repas de fête qui l'avait longtemps retenue devant les fourneaux. Malgré leur mauvaise humeur, Vincent et Sophie l'avaient apprécié. Mais il y avait beaucoup de restes, Marianne avait vu trop grand, comme toujours. Et à présent, il fallait qu'elle débarrasse la table et qu'elle fasse la vaisselle puisqu'elle avait refusé l'aide de ses enfants. La tête sur ses bras repliés, elle décida de s'accorder encore cinq minutes de pause.

Après tout, elle pouvait faire ce qu'elle voulait, se coucher à n'importe quelle heure, ne ranger que demain. L'indépendance était la contrepartie d'une solitude qui, parfois, lui pesait. Le premier jour de sa retraite, elle irait choisir un chien dans un élevage. Ce serait un bon compagnon pour entreprendre de longues promenades ou pour regarder la télévision côte à côte sur le canapé. Un être vivant à qui parler, même s'il ne répondrait pas, et à qui raconter ses soucis ou ses souvenirs. Comme celui d'un certain week-end à Saint-Malo…

Le bruit de la porte d'entrée la fit se redresser d'un bond. Elle ne l'avait pas verrouillée après le départ des enfants !

— Maman ? Je t'ai fait peur ?

L'espace d'un instant, éperdue, elle crut entendre Malo, hélas ce n'était que Vincent, flanqué de Sophie.

— Vous avez oublié quelque chose ? bredouilla-t-elle.

Elle se sentait un peu hébétée, elle avait dû s'endormir.

— Non, nous n'avons rien oublié, en revanche, nous avons rencontré quelqu'un.

Tout sourire, ils s'écartèrent, et elle découvrit avec stupeur que Malo se cachait derrière eux.

— Tu es venu ! s'écria-t-elle en se précipitant. Oh, mon fils, mon petit…

Le *petit*, beaucoup plus grand qu'elle, la serra longuement dans ses bras.

— Ce n'est pas ma faute si j'ai manqué le dîner, le TGV a pris du retard entre Marseille et Paris. Après, j'ai eu beau courir dans le métro pour changer de gare, j'ai raté le train de Rouen et j'ai dû attendre le suivant, qui était d'ailleurs le dernier. Un peu plus et je dormais à Saint-Lazare !

Il semblait en forme, bronzé, à l'aise, apparemment heureux de se retrouver en famille.

— Je suis tombé sur ces deux-là en descendant de mon taxi, ajouta-t-il avec un geste vers son frère et sa sœur. Et figure-toi qu'ils m'ont d'abord infligé toute une leçon de morale alors que je rêvais de manger enfin quelque chose...

— Je fais tout réchauffer ! s'écria Marianne, radieuse.

Elle remporta le gâteau dont elle allumerait les bougies plus tard. Versant les restes de la poularde dans un plat en fonte, elle alluma le four. Son excitation était telle que ses mains tremblaient. Malo était là, elle n'en revenait pas, son rêve s'était réalisé !

Une idée lui traversa brusquement l'esprit et elle s'immobilisa. Et si... Et si, justement, elle était en train de rêver ? N'allait-elle pas se réveiller, la tête dans ses bras croisés sur la table dévastée ? Elle se pinça le bas de la joue, à un endroit sensible, sans obtenir de certitude. Parfois, on rêve qu'on rêve, on rêve qu'on tombe, on rêve qu'on se pince la joue...

Dans le séjour, ses trois enfants discutaient avec animation, elle entendait leurs rires et leurs éclats de voix. Rêver ce moment béni serait bien trop cruel... Non, non, elle était forcément dans la réalité de sa vie, elle devait savourer sa chance au lieu de douter. À la hâte, elle découpa une tranche épaisse de la terrine de Saint-Jacques, la mit sur une assiette avec un morceau de pain et servit un verre de vin puisqu'il ne restait plus de champagne. En saisissant le plateau, elle redoutait encore de se réveiller.

Ce serait si atroce d'émerger, la bouche pâteuse et l'esprit embrumé, dans le silence de sa maison déserte. Pour conjurer cette possibilité, elle marqua un temps d'arrêt sur le seuil de la cuisine, ferma les yeux un instant et se fit la promesse solennelle de ne plus jamais organiser ce stupide anniversaire. De ne plus contraindre Vincent et Sophie à venir jouer les figurants, de ne plus harceler Malo sur une date précise.

Rouvrant les yeux, elle avança et faillit trébucher, comme lorsqu'on rate une marche dans un rêve...

Maxime CHATTAM

Le Chemin du diable

Clive Woodley arriva sur le pont un peu après trois heures du matin.

Les gyrophares des deux voitures de patrouilles projetaient leur halo rouge et bleu sur la vieille pierre et jusque sur les troncs de la forêt qui encadraient les rives de la rivière Shenandoah.

À peine réveillé par le coup de fil de son adjoint, il avait enfilé son jean de la veille et un vieux sweat-shirt aux couleurs de l'université Miskatonic d'Arkham – souvenir de ses années de beuveries estudiantines – pour rouler à vive allure à travers les collines boiseuses au sud de la ville. C'était un secteur dangereux, une route sinueuse, des falaises escarpées, une forêt dense et sombre, et un cour d'eau glacé aux courants traîtres. Personne n'y venait pour se promener et encore moins pour pêcher ou se baigner. On ne faisait que passer par cette route qui reliait Kingsport à Salem. Et encore, les plus pressés seulement, car l'Interstate 66 construite dans les années soixante était plus longue mais plus sûre avec ses doubles voies et ses longues lignes droites pour faire le même trajet. Seuls les vieux habitués s'aventuraient toujours par le sud, sur le « chemin du diable » comme on l'appelait chez les plus de cinquante ans. Un nom dont personne ne semblait se remémorer l'origine, sinon peut-être à cause du paysage inquiétant qui le bordait, des arbres tordus aux racines noueuses et intriquées comme les doigts arthritiques d'un vieillard.

Le pont était la limite du comté, il suffisait de le traverser pour quitter les terres du shérif Woodley. Mais tout ce qui se passait *sur* le pont relevait de sa juridiction.

Et la voiture qui avait déclenché l'alerte trônait en plein milieu de la vieille arche de pierre grise.

Clive se gara juste avant le début du parapet et rejoignit ses équipes à pied.

— Vous avez trouvé quelque chose ? demanda-t-il.

Ses deux adjoints secouèrent la tête de concert. Ils arboraient leurs uniformes beiges, tirés à quatre épingles.

— Vous étiez en patrouille cette nuit ?

— Oui, fit Morris. Un gars rentrait chez lui lorsqu'il a découvert la voiture arrêtée au milieu du pont et personne alentour. C'est lui qui nous a prévenus.

Clive Woodley fit le tour du véhicule. Un break familial avec siège enfant à l'arrière, nota-t-il. L'intérieur était assez sale, des miettes de nourriture, plusieurs bouteilles de soda entamées, quelques jouets. Toutes les portières sauf celle côté bébé étaient grandes ouvertes.

— Le moteur tournait encore, ajouta Morris, c'est nous qui l'avons coupé. Nous avons fait le tour du coin, crié, tout vérifié, rien, ni personne.

— Le passant qui a trouvé le break ?

— Nous l'avons laissé repartir après avoir contrôlé son pick-up et son identité.

Woodley termina son inspection en posant un genou à terre et scruta sous la voiture.

— Qu'est-ce que c'est ça ? demanda-t-il.

Morris et Calvert se regardèrent, interloqués.

— Euh… fit le premier. C'est-à-dire ?

Le shérif tendit le bras et se releva avec une peluche fatiguée, le poil rêche et les membres distendus. Il la porta à son nez et l'éloigna vivement.

— Elle pue ! C'est le doudou d'un gamin.

— Vous êtes sûr ? s'étonna Morris.

— Vous n'avez pas de gosse ? Vous reconnaîtriez l'odeur de la bave séchée sinon !

— Comment il s'est retrouvé là ?

Woodley opina et tendit l'index vers son adjoint pour souligner que c'était là la vraie question avant de se pencher sur le bord du pont.

La nuit noire ne lui permettait pas de distinguer grand-chose, toutefois il percevait le bruissement de la rivière en contrebas. Morris alluma sa puissante Maglite et ouvrit un faisceau blanc dans les ténèbres.

L'écume apparut quinze mètres plus bas, s'agglomérant aux crocs d'ébène qui affleuraient comme la bave d'un animal énervé. Il y avait des dizaines de rochers acérés au milieu des courants intenses. Une chute d'aussi haut ne pouvait qu'être mortelle.

— C'est quoi le scénario d'après vous ? s'enquit Morris. Toute la famille qui passe par-dessus bord ?

— *A priori*, il n'y avait aucune raison de quitter la voiture, encore moins ici, au milieu de nulle part. J'ai peur du pire.

— Suicide collectif ? fit Calvert avec dégoût.

Woodley préféra ne pas répondre.

Il avait toujours eu beaucoup d'imagination, mais là, il avait beau retourner le problème dans tous les sens, il ne parvenait à envisager autre chose que le pire. Personne ne s'arrêtait avec sa famille entre deux collines escarpées, en pleine nuit, dans une région sauvage, pour disparaître sans laisser de traces. À moins de vouloir en finir définitivement.

Trois jours plus tard, la famille avait été identifiée, mais elle n'avait pas ressurgi pour autant. Les Kaspersky. Mari et femme ainsi que deux enfants de six et deux ans, Marion et Jade. Ils étaient partis de Kingsport vers minuit et demi après une soirée entre amis, pour rentrer chez eux à Salem.

Clive Woodley fit fouiller la région mais l'épaisseur de ses forêts et l'impraticabilité de ses pentes abruptes réduisirent considérablement les possibilités. On ne retrouva personne, pas même de corps. En aval de la Shenandoah se trouvait une scierie, dans un coude de la rivière où le courant entassait tous les débris importants et les cadavres d'animaux que la rivière ne manquait pas de charrier. Woodley fit sonder les abords de la scierie, persuadé que si la famille avait sauté du pont on la découvrirait ici, flottant parmi les roseaux sous l'effet des gaz de décomposition portant les cadavres mieux que des gilets de sauvetage. Sans plus de réussite.

Faute de piste, l'après-midi du quatrième jour, il se rendit à la bibliothèque municipale de Kingsport pour explorer les archives de la ville. Ce qui l'intriguait le plus c'était le choix du pont. Pourquoi en finir ici plutôt que depuis les falaises bordant l'océan à quelques kilomètres de là ? Se jeter d'un pont sinistre dans un endroit aussi peu accueillant alors que vous avez la majesté de la mer qui s'offre à vous, c'était terriblement triste et désespéré. Surtout pour une famille qui, d'après ses proches, se portait à merveille, dans laquelle il n'avait été remarqué aucun signe de désespoir ou de dépression.

Clive Woodley voulait comprendre. Il cherchait un symbole auquel raccrocher cet acte de folie. Tous les gens à qui il avait demandé ce qu'ils savaient du pont avaient haussé les épaules ou secoué la tête. Personne ne voulait en parler sinon pour clamer que c'était un endroit dangereux à cause des virages en épingle, des précipices, des chutes de pierres ou des coulées de boue. Un vrai « paradis ». Woodley n'était en ville que depuis trois ans, il s'était fait parachuter shérif presque par hasard – intérêt politique de sa belle-sœur –, et il lui manquait l'essentiel : une véritable connaissance du terrain, des habitants et de leur histoire.

Aussi s'installa-t-il devant un écran d'ordinateur, et entreprit-il ses recherches Internet en usant de mots-clés sur le site du journal local. « Nom du pont – chemin du diable » ; « accident – chemin du diable » ; « pont du diable Kingsport »...

Woodley s'était attendu à ne rien trouver ou de vagues bribes d'informations, au lieu de quoi des dizaines de résultats s'affichèrent.

Accidents. Disparitions. Suicides. Meurtres.

Le chemin du diable n'avait jamais aussi bien porté son nom.

Woodley ne trouva que les grandes lignes sur Internet, cependant, avec les dates, il se plongea dans les archives sur microfilm du journal local et débusqua bon nombre d'informations. Chacune en soi n'était pas surprenante, mais c'était la quantité qui rendait l'ensemble inquiétant.

Aussi loin qu'il put remonter – au début du XXe siècle – le chemin du diable avait été une route parmi les plus meurtrières du pays. Avec, nota-t-il, un véritable point central : le pont. Lieu des suicides, d'accidents récurrents, voire de disparitions qui faisaient dire à la presse que tout bon meurtrier venait y jeter un cadavre encombrant pour s'assurer qu'il ne serait jamais plus retrouvé.

Woodley était abasourdi.

Il ne se rendit pas compte que la lumière avait décliné au dehors, et miss Crawford vint lui signaler qu'il était l'heure du dîner.

— Oh, je suis désolé, dit-il, je vous ai retenu tard !

— Ce n'est pas grave, shérif, mon mari est à son club de bowling ce soir, personne ne m'attend. Vous pensez en avoir encore pour longtemps ? Je peux aller vous chercher un sandwich chez Lionel's si vous le souhaitez ?

Woodley secoua la tête en la remerciant. Puis il l'observa un instant. Elle avait la soixantaine, fille de Kingsport, elle avait vécu toute son existence ici même.

— Dites, miss Crawford, vous connaissez le pont du chemin du diable ?

La bibliothécaire se raidit brusquement.

— Oui. C'est un endroit… sinistre.

— Vous saviez qu'il y avait eu tant de… de problèmes là-bas ?

Elle acquiesça lentement.

— Depuis le temps qu'ils parlent de fermer cette

route. Avec l'Interstate 66 elle ne sert plus à rien, ils devraient la condamner ! Trop d'accidents !

— Ce pont, il a un nom ?

Les yeux de miss Crawford s'agitèrent, tournèrent de droite à gauche comme pour mieux sonder une mémoire fantôme qui ne s'afficherait que devant elle.

— Je ne crois pas. Personne ne s'y arrête. Je me souviens, quand j'étais adolescente, c'était même un lieu de défi pour prouver sa virilité. Les adolescents devaient le traverser à pied en pleine nuit. Ils partaient à cinq ou six dans une voiture, souvent ivres, et avec tous ces pièges de la route, parfois il arrivait qu'on ne les revoie jamais plus. Le pire c'était tous ces désespérés qui s'y rendaient pour se jeter dans l'eau glacée. Vous avez vu toutes les inscriptions ?

Woodley haussa les sourcils.

— Quelles inscriptions ?

— Gravées dans la pierre, sur le rebord du pont pardi ! Tous les candidats à la mort ont pris pour habitude d'y laisser leurs dernières volontés ! Il faut fermer cette route je vous dis. Trop de mauvaises choses !

Woodley approuva pour la forme, mais il était plongé dans ses pensées. Il était pourtant retourné en pleine journée sur le pont depuis, il n'avait rien remarqué.

Il la salua et fila pour grimper dans son 4 × 4.

La jeep avait une barre sur le toit, équipée de projecteurs, cela lui suffirait pour y voir clair. Il roula à vive allure sur les lacets du chemin du diable, et mit moins de vingt minutes pour atteindre le pont.

La portière claqua dans la nuit. Les quatre

puissants phares sur le toit illuminaient la pierre et le parapet, jusqu'à souligner les hauts sapins qui dansaient mollement dans le vent sur l'autre bord. Clive ne la voyait pas mais il percevait l'écoulement de la rivière au-dessous, elle s'agitait avec force, comme si une colère permanente l'animait. Il marcha jusqu'à l'endroit où s'était arrêtée la voiture des Kaspersky quatre nuits plus tôt et entreprit de scruter le rebord du pont des deux côtés. Cette fois il avait sa propre lampe torche et il s'en servait comme d'un pinceau d'archéologue pour dégager des fouilles fragiles, repoussant l'obscurité et la poussière.

Il découvrit le premier mot en s'agenouillant, gravé à mi-hauteur. Lettres fines. Il fallait le chercher pour le voir.

« *Mon désespoir est maintenant infini. J'ouvre les yeux. Melvin. Décembre 73.* »

— Merde alors… murmura le shérif. Comment on a pu passer à côté de ça ?

Il fouilla et en découvrit un autre, un peu plus loin.

« *Là où je suis, je souffre pour toujours. Mais au moins je sais pourquoi. Jane. 14 juin 1984.* »

Puis encore un :

« *J'ai trop mal – Felicity Cooper, 1938.* »

Plus il cherchait, et plus Woodley en trouvait. Il y en avait des dizaines. Tous rédigés dans le même langage sinistre, comme s'il y avait un cahier des charges funestes à respecter avant de se balancer par-dessus bord.

Mais il n'y avait rien de très récent. Rien qui puisse correspondre aux Kaspersky.

Clive Woodley était happé tout entier par ses

fouilles, entouré par la nuit et le bruissement du vent dans les branches, bercé par les cris réguliers des renards ou le ululement de hiboux lointains.

— Vous cherchez quelque chose, shérif ?

Woodley sursauta et fit tomber sa lampe torche qui roula sur le pont, projetant une lumière rasante qui s'arrêta aux pieds de l'homme.

Il n'était pas très grand, les mains dans les poches d'un manteau léger, une quarantaine d'années tout au plus, et affichant un sourire presque rassurant.

— Pardonnez-moi si je vous ai fait peur, dit-il en se penchant pour ramasser la lampe.

— Qu'est-ce que vous faites là ? On se connaît ?

— Non, je ne crois pas.

— Comment savez-vous que je suis le shérif ?

L'homme pointa son pouce vers la jeep.

Woodley se sentit idiot. La peur l'avait rendu un peu agressif.

— Vous faites des heures sup' sur la disparition de la famille, n'est-ce pas ?

— En effet…

— Et vous cherchez leur dernière parole ? C'est ce que je me suis dit aussi. Venez, je crois que la voiture était plutôt par ici.

— Comment sav… C'est vous ! C'est vous qui avez trouvé leur break, pas vrai ?

— J'étais là, oui.

Woodley était tendu. Il n'aimait pas ce petit bonhomme et son assurance presque joyeuse. Et qu'est-ce qu'il fichait là à cette heure ? Clive repensa aussitôt à ce qu'on racontait des tueurs en série, des psychopathes, qu'ils aimaient retourner sur le lieu de leurs crimes. Pour revivre la scène.

Pourtant l'homme n'avait rien de l'assassin

effrayant, au contraire, il ressemblait plus à un sympathique marchand d'électroménager un peu timide sur les bords, bon samaritain.

— Là, dit l'homme en s'immobilisant à plusieurs mètres.

Il releva la lampe du shérif qu'il tenait encore et balaya le parapet.

Des mots apparurent. Fraîchement taillés dans le calcaire.

« *Nous hurlons pour l'éternité les péchés des hommes, mais nous souffrons tous ensemble, en famille. Les Kaspersky. Juin 2016.* »

Woodley en eut les jambes coupées. Il se retint au muret en découvrant les dernières paroles des quatre morts. Car il ne faisait à présent plus de doute dans l'esprit de Clive. Ils s'étaient suicidés. Les parents entraînant leur progéniture dans leur démence.

Ces mots rassuraient presque le shérif. Ils prouvaient que les Kaspersky avaient suivi le modèle de leurs prédécesseurs ici, et donc que l'homme n'y était pour rien. En un instant, ces mots évacuèrent toute culpabilité possible. Puis Woodley réalisa qu'il y avait des épitaphes anciennes, et qu'aucun tueur en série ne pouvait en être responsable sur une si longue durée.

— Vous savez comment procèdent les candidats à la mort quand ils viennent ici ? demanda l'homme.

— J'imagine qu'ils se jettent dans le vide.

— Non, pas vraiment. Ils empruntent le sentier au bout du pont, ils descendent jusqu'en bas et on dit que de là, ils se déshabillent pour se plonger dans l'eau peu à peu, jusqu'à ce qu'elle engourdisse leurs membres et les emporte.

— Vous savez où se trouve ce sentier ?

— Oui, bien sûr, juste là.

La lampe pivota pour éclairer l'extrémité de l'édifice ancien, prenant au passage dans son sillon blanc les arbres soudain immobiles.

— Je vais vous montrer, dit l'homme en s'élançant.

Clive Woodley n'eut pas le temps de l'arrêter qu'il filait à grandes enjambées jusqu'à l'entrée d'un petit passage entre les fougères. Le sentier disparaissait dans la pente.

— Venez ! s'écria l'homme en s'engageant.

Woodley suivait, presque contre son gré. Il voulait voir. Savoir. Peut-être y aurait-il encore les vêtements de toute la famille…

La végétation bruissait en hauteur, pourtant, à mesure qu'ils descendaient plus près de la rivière, Woodley nota qu'elle cessait de bouger, il n'y avait plus aucun vent, rien que le bruit de l'eau s'écoulant à toute vitesse entre les rochers. L'herbe paraissait noire dans la nuit. Des tapis de ronces larges et couvertes d'épines acérées débordaient de sous les fougères, semblables à une mer de barbelés protégeant un sanctuaire de la nature.

— Vous saviez qu'il a été bâti pendant la guerre de Sécession ?

— Non.

Woodley trouvait que l'homme parlait trop fort. Cela ne risquait pas de perturber quiconque, cependant le shérif avait le sentiment de déranger quelque chose dans cette forêt à cette heure tardive. Il n'était pas à l'aise et aurait souhaité qu'ils se fassent plus discrets. Il s'en voulut aussitôt d'être aussi puéril.

— Eh bien je vous l'apprends. Il a été construit en urgence, pour acheminer des troupes supplémentaires. Et vous avez noté la différence de pierre avec celles qu'on aperçoit partout sur les collines environnantes ?

— Non, je n'avais pas vu.

— Personne n'y prête jamais attention. C'est parce que la pierre par ici est trop poreuse, elle n'est pas assez solide.

Woodley acquiesça sans vraiment s'en préoccuper. Il était surtout focalisé sur le peu qu'il distinguait du sentier, ne pas trébucher, surtout pas ici, ce serait une catastrophe, il fuserait dans les ronces, directement jusque dans l'eau froide et bouillonnante.

Lorsqu'ils parvinrent tout en bas de la colline, Woodley releva la tête et vit l'arche colossale du pont qui les dominait, presque effrayante dans l'obscurité.

Le sentier se terminait sur un parvis naturel de pierre qui filait sous le pont. La lumière que tenait encore l'homme fouilla les environs à la recherche d'indices, sans rien trouver.

— Peut-être sous le pont, supposa l'homme en s'avançant avec une assurance que Woodley n'avait pas.

— Quand vous avez trouvé leur véhicule, vous n'avez vu personne, vous êtes certain ? insista Woodley qui avait besoin de parler pour se sentir un peu rassuré.

Cet endroit lui donnait la chair de poule. Il se sentait minuscule sous l'arche du pont, comme si celui-ci avait quadruplé de volume pendant leur descente et qu'il l'écrasait par son aura étrange. Ils pénètrent dans les ténèbres que formait l'immense structure de pierre.

— En fait, je n'ai pas dit que c'est moi qui ai trouvé leur voiture, shérif.

— Pardon ?

— J'ai dit que j'étais là, ce n'est pas pareil.

Maintenant qu'ils avaient bien avancé, l'homme se retourna, la lampe du shérif créant un cercle pour les protéger de la nuit.

— Je ne comprends pas ce que vous voulez me dire, balbutia Woodley. Vous étiez là ? Vous voulez dire que vous avez... vous avez assisté à leur... mort ? C'est ça ?

— Oui.

Woodley ouvrit les mains devant lui.

— Et pourquoi ne pas me l'avoir dit plus tôt ?

— Parce que vous ne seriez pas descendu avec moi jusqu'ici pour voir les entrailles du pont.

Woodley recula d'un pas, instinctivement.

— Voir quoi ?

— Ceci.

La lampe se leva lentement.

— Je vous ai dit tout à l'heure que le pont n'était pas construit avec la pierre de la région. Vous ne vous êtes pas interrogé sur celle qu'ils avaient utilisée, shérif ?

L'intérieur du pont ressemblait à un assemblage d'écailles. Comme la peau d'un gigantesque dragon minéral.

L'homme poursuivait son monologue :

— Les troupes devaient passer coûte que coûte, ils n'avaient pas de temps à perdre en des détours compliqués. Alors ils ont fait avec ce qu'ils avaient sous la main. La pierre la plus solide et disponible en nombre en temps de guerre.

Woodley recula encore.

Les écailles se précisaient. Recouvertes d'inscriptions.

— Oui, shérif, ils ont construit ce pont avec les pierres tombales des cimetières. C'est tout ce dont ils disposaient, et ils ne voulaient pas perdre de temps à faire venir plus de matériaux.

Des centaines de tombes surplombaient les deux hommes, des noms et des dates presque effacés par les années, partout, un assemblage morbide et colossal.

— C'est... C'est incroyable, murmura Clive Woodley.

L'homme s'avança.

— Non, c'est inadmissible, corrigea-t-il sèchement.

Le shérif baissa le regard sur son étrange guide. Celui-ci n'avait plus rien du bonhomme sympathique. Il était froid et fermé. Les yeux enfoncés au fond de leurs orbites, la bouche pincée, mâchoires serrées.

— Qui êtes-vous ? demanda Woodley.

— La colère. Je suis la rage. Je suis la mémoire, monsieur Woodley.

Le shérif secoua la tête. Il ne comprenait pas.

La lampe retombait doucement, et à mesure qu'elle se rapprochait du sol, son cercle protecteur se rapetissait.

Pendant un instant, Woodley crut entendre des mouvements dans les ténèbres autour d'eux.

— Je suis un parmi beaucoup d'autres. Dépouillés de toute dignité. Privé de repos, de la sérénité éternelle.

La lampe se colla le long de la jambe de l'homme, et le halo lumineux devint si petit que Woodley n'était plus dedans. Il flottait à présent dans l'obscurité totale.

— Chaque anniversaire de décès de l'un d'entre nous doit être honoré. C'est à ce prix que nous pardonnerons, dit l'homme en détachant précisément chaque syllabe. Saviez-vous qu'il y a quatre nuits de cela, c'était l'anniversaire de la mort d'une famille entière ? Tous tués en même temps, mari et femme ainsi que leurs deux enfants. C'était il y a très longtemps, une sordide affaire. Ils furent enterrés non loin de leur ferme, dans un petit cimetière local dont il ne reste plus aucune trace désormais. Je pense pouvoir dire que la famille Kaspersky les a apaisés d'une certaine manière.

Woodley commençait à sentir des fourmillements dans ses jambes, elles ne le portaient plus avec la même assurance. L'homme continua, le regard brillant, les traits devenus invisibles :

— Vous n'êtes pas venu ici par hasard Monsieur Woodley. C'est le pont qui vous a attiré, précisément ce soir. Voyez-vous, mon anniversaire de mort tombe justement cette nuit. Vous êtes mon cadeau. Et d'autres suivront, pour d'autres anniversaires. Beaucoup d'autres... Parce que si nous souffrons pour toujours, alors vous aussi allez souffrir.

Cette fois, Clive Woodley sentit des mouvements tout autour de lui. Des dizaines et des dizaines de frottements.

— Qu'est-ce que...

La peur s'emparait de lui. La terreur suivit. Il y avait des centaines de murmures tout autour, de grognements, de pleurs même, et surtout des ricanements cruels.

Brusquement, autre chose se saisit de lui. Quelque chose de bien plus concret. Des griffes se plantèrent dans sa chair. Et le souffle putride de centaines de morts fondit sur lui jusqu'à l'étourdir.

Alors il sut qu'il n'avait jamais vraiment expérimenté la terreur.

Et quand il vit son véritable visage, il hurla.

Un bref instant.

Avant d'être happé brutalement. La pierre du pont craqua, se fissura légèrement, et du passage de Clive Woodley il ne resta bientôt qu'une fine coulée de poussière qui s'envola. Les pierres tombales qui constituaient la structure même de l'édifice semblèrent frémir, comme un animal repu par la chair et l'âme qu'il venait d'avaler.

Les branchages bruissèrent dans la vallée tandis qu'un souffle la parcourait depuis les profondeurs du pont. Et toute la nature se contracta sur son passage. Cette nuit-là, de nouvelles pousses de ronces se développèrent, comme pour isoler un peu plus le pont du reste du monde.

Au même moment, tout en haut, près de la jeep aux projecteurs allumés, des éclats de pierre se fendirent et furent balayés par le vent. Des mots venaient d'apparaître.

« *Je connais le vrai visage de la peur à présent. Je souffre avec elle. Pour toujours. Clive. Juin 2016.* »

François d'EPENOUX

Cent ans et toutes ses dents

On a coutume de dire que ce sont les meilleurs qui partent les premiers et c'est parfaitement exact. Car à la vérité, la vie est injuste. Les égoïstes, ceux qui se foutent éperdument de leur entourage, ceux qui garent leur gros 4×4 en triple file, ceux qui restent à gauche dans les escalators et vident des seaux de pop-corn dans les cinémas au mépris de l'exaspération de leurs voisins, ceux qui vous répondent « ce n'est pas mon problème » quand vous leur en faites grief, tous ces autocentrés congénitaux (en deux mots) vivent très vieux. Pourquoi ? Tout simplement parce que se préoccuper des autres, s'inquiéter pour eux, agir en conséquence, c'est contraignant. Stressant. Usant. Et parfois si épuisant que ça en devient mortel. Alors oui, ce n'est pas une règle absolue mais c'est souvent le cas : les meilleurs, les généreux, les altruistes partent souvent tôt, vers d'autres cieux, quand les insouciants, tout entiers préoccupés par leur petit bien-être, semblent pouvoir devenir centenaires sans encombre, et presque éternels ma foi, aussi bien conservés dans la tiédeur confortable de leur nombril qu'un crapaud dans son formol.

Suzanne Claverie-Bérard était de cette engeance. Cette vipère de catégorie internationale allait vers ses cent ans comme d'autres vont à la selle, avec le sentiment confus d'un soulagement imminent et mérité. Il faut dire que toute sa vie, cette vieille bique n'avait eu de cesse que d'atteindre cet objectif : durer. Durer et durer encore. Au prix de toutes les bassesses, trahisons, méchancetés. On peut lui reconnaître qu'elle y avait réussi. Comment ? Mais en ne se souciant que d'elle-même, pardi. En se servant des autres comme de petits palans pour se hisser dans le monde – voire le grand monde. En n'utilisant l'amour de ses amants qu'à son seul profit et l'argent de son mari de la même façon. En ne consacrant son énergie qu'à la pérennité de sa beauté, qui était grande, et à la mise en valeur de ce qu'elle considérait comme ses deux atouts majeurs : sa chevelure magnifique et son sourire, qu'elle avait étincelant.

C'était une belle femme, là était le drame, et là était le mystère. Car enfin, de quoi se vengeait-elle ? La vie lui avait pourtant beaucoup donné : une tête bien faite et bien pleine, une belle tournure, une naissance prometteuse, de l'argent de famille, de l'esprit à revendre. Tout ! Excepté peut-être les quartiers de noblesse dont elle aurait rêvé, déficit cruel compensé plus tard, après sa séparation, par l'adjonction de son patronyme de jeune fille à son nom de femme divorcée : Claverie-Bérard, ça vous avait quand même un peu de gueule. Tant il est vrai qu'aux yeux des vrais snobs, le trait d'union peut apparaître sinon comme la particule du pauvre (si tant est que la pauvreté ait ici sa place), du moins comme une sorte de succédané pouvant faire illusion honorablement.

Toujours est-il qu'en ce samedi de juin, c'est à ce centième anniversaire de la fameuse et redoutée « tante Suzanne » que s'apprêtaient à se rendre Camille et Antoine. Les ultimes préparatifs avaient lieu dans la salle de bains où, côte à côte devant leurs lavabos respectifs, l'un et l'autre se servaient du grand miroir pour converser sans avoir à tourner la tête. Chacun échangeait ainsi avec le reflet de son conjoint et, l'heure tournant, c'était autant de minutes gagnées pour papoter sans se mettre davantage en retard. Le sujet du jour s'annonçait croustillant et, après une semaine chargée, ils étaient impatients d'en parler, même le nez sur leur montre. Antoine en était à son cinquième nœud de cravate raté – trop serré, de travers, il n'y avait rien à faire – lorsqu'il lança, l'air de rien :

— Alors comme ça, c'est aujourd'hui que je rencontre le monstre...

— Oui, et tu ne vas pas être déçu, répondit Camille en dévissant son rouge à lèvres.

— Mais elle est si terrible qu'on le prétend ? Si ça se trouve, c'est une femme malheureuse qui n'a pas toujours été comprise, reprit Antoine, dont la fausse compassion masquait mal l'envie d'en savoir plus.

Pas dupe, Camille lui sourit dans la glace.

— Mais comme il est gentil mon petit mari... eh bien, tu en jugeras ! Que veux-tu que je te dise...

Sur quoi, se rapprochant du miroir, elle appliqua sur sa lippe incurvée la pointe de son bâton de rouge, avant d'en faire autant sur sa lèvre supérieure, plus charnue – toujours en prenant soin, comme les enfants qui dessinent, de ne pas dépasser des bords. Antoine aimait tellement la regarder faire qu'il en oublia un instant son combat à main nue avec une cravate. Pas question pour autant de lâcher le début de conversation qu'il avait attrapé.

— On dit qu'elle était très belle, c'est vrai ?

Avant de répondre, Camille serra ses lèvres bord à bord, pour bien répartir le rouge à lèvres, rapidement, comme seules les femmes savent le faire.

— Elle l'est toujours... droite, sèche, dure, ridée, mais belle. Et puis cette tignasse qu'elle a, tu verras... tous ces cheveux blancs, ça lui fait une couronne...

— Mortuaire ?

— T'es con...

— Sur des photos, j'ai vu son sourire, aussi... son fameux sourire...

— Oui... ça plus son allure, son décolleté et ses jambes, je peux te dire qu'on ne voyait qu'elle...

Antoine venait de triompher : le huitième nœud était le bon – cravate bien droite, juste à la bonne longueur –, il avait donc un peu de temps, ce qui ne manqua pas d'inquiéter sa femme, qui était loin d'être prête.

— Les hommes, ça a dû tomber, non ?

— Oh oui ! Y compris pendant la guerre, à ce qu'il paraît... certains avaient un léger accent berlinois.

— Ah... et ton oncle n'y voyait rien ?

— Il s'en doutait mais bon... elle n'était pas la seule. Tous ces officiers si brillants, si mélomanes et si bien nés... et puis ils ne se sont mariés qu'après la Libération. En 47, je crois.

Camille amorçait à présent le maquillage de ses yeux, avec cette autre gestuelle inimitable : tête penchée, menton haut, elle écarquillait très légèrement l'œil dont elle lissait les cils de mascara.

— Et ils n'ont pas eu d'enfants ? demanda alors Antoine, sans pitié pour le retard de son épouse – ni pour le passé de la grand-tante de celle-ci.

Camille s'interrompit, posa son attirail et regarda son mari non plus dans le reflet, mais en tournant la tête, signe que l'affaire était sérieuse.

— Antoine, tu me retardes ! Je te raconterai dans la voiture... Si, ils en ont eu deux.

— Deux enfants ?

— Eh oui, pas deux bergers allemands. Un garçon et une fille... Adeline.

Antoine rigola franchement.

— Remarque, on ne sait jamais... et ces enfants, ils sont comment ?

— Antoine ! Arrête ! On ne les a jamais vus... comme si elle en avait honte... pas assez beaux, sans doute... pas assez brillants... pas assez bien pour elle... bref, ils ont disparu dans la nature. Et maintenant, tu me laisses, s'il te plaît ! On est assez à la bourre comme ça...

Antoine, un peu vexé, s'en tira par une pirouette.

— Mais ma parole, c'est qu'on est pressée de revoir sa petite tante chérie !

Et Camille de soupirer, faussement atteinte. Crayon à la main, elle entreprit d'appliquer un peu d'eye-liner sur l'autre œil, passa au mascara et se poudra un peu les joues, vite fait, bien fait.

— Et voilà... un peu de blush, un peu de bluff.

Puis, regardant Antoine, demeuré pensif et donc, muet.

— Ne me dis pas que tu boudes.

— Non, non pas du tout... je me demandais juste...

— Quoi ?... Fais vite, je t'en supplie.

— Non... non, on n'a pas le temps.

Camille trépigna sur place.

— Allez ! Ne te fais pas prier !

— OK... je me demandais juste... si cette femme a conscience de l'image qu'elle donne... de la façon dont les gens la voient, quoi.

— Tante Suzanne ? Mais elle s'en fout complètement, si tu savais ! Elle n'en a jamais fait qu'à sa tête.

— Mais elle n'a jamais bossé ?

— Jamais. Elle s'est contentée de plumer quelques playboys... de jouer au casino... de rendre son mari malade et ses enfants, dépressifs.

Antoine s'engouffra dans la brèche, Camille avait mordu à l'hameçon.

— Sacré personnage, quand même.

Camille fonça vers lui, stoppa net, le regarda droit dans les yeux :

— Antoine, ARRÊTE de vouloir la défendre. Cette femme n'est pas une héroïne de roman, une mante religieuse fascinante, que sais-je encore. C'est juste une garce qui crache son venin à longueur de journée. Qui fait souffrir les gens. Qui n'aime que son chien, un horrible petit caniche. Et qui ne s'intéresse qu'à elle.

— Toi, tu ne m'as pas tout dit.

— Quand tu seras sage. Allez, rends-toi utile, un peu.

Dans une volte-face de danseuse, Camille se retourna. Elle portait une très jolie petite robe noire dont il fallait remonter dans le dos la fermeture Éclair. Avec un geste ravissant, elle saisit ses cheveux pour découvrir sa nuque. Parce que cette nuque sentait bon, parce que la robe s'ouvrait jusqu'aux reins en une échancrure vertigineuse, parce qu'il y distinguait les agrafes d'un soutien-gorge en dentelle, et surtout parce que ce n'était pas du tout le moment, Antoine fut pris d'un désir soudain. Plaquant ses mains sur la poitrine de Camille, il lui demanda :

— Ta robe, ça va ? Pas trop serrée ?

Camille en fut à la fois flattée et agacée. Suffisamment pour râler dans un sourire.

— Tu es infernal. Allez, remonte ça vite, s'il te plaît.

Il y eut un mouvement vertical, de bas en haut, accompagné d'un « zip » net et sans appel. En même temps que la robe, Antoine vit brutalement se fermer de charmantes perspectives. Il en fut quitte pour un baiser sur la joue. Camille lui susurra :

— J'en suis la première navrée, mais on n'a pas le temps. Allez, zou !

Elle fit le point dans le miroir, se contempla avec le regard implacable des femmes quand elles jugent une femme – en l'occurrence, elle-même. Ensuite, estimant que le résultat était convenable, elle fit quelques pas, minauda presque, tournoya un peu, puis, parce qu'aucun compliment ne venait, interrogea son mari.

— Bon... ça va ?

— Pas mal, et toi ? Qu'est-ce que tu deviens ?

Antoine tenait sa vengeance. Camille ne trouva pas ça drôle du tout.

— Non, mais sérieusement...

— Tu es parfaite.

— Tu dis ça pour me faire plaisir... non mais dis-moi, qu'est-ce qui ne va pas ?

— Mais c'est dingue, je viens de te dire que tu étais parfaite !

— Mouais... de toute façon, je n'ai rien à me mettre.

Antoine eut une pensée fraternelle pour tous les hommes qui, un œil sur des placards bondés, un autre sur un lit couvert de cintres, de robes et de vestes, entendent cette phrase depuis la nuit des temps. Il n'eut pas la force de lutter. Mais demanda compensation :

— Allez, tu as raison, il faut y aller. Mais je veux vraiment tout savoir sur tante Suzanne.

— Comme tu voudras.

Il attrapa les clés de voiture au vol, elle celles de l'appartement, ils foncèrent vers l'ascenseur, il appuya sur le bouton.

— Ah, zut ! s'exclama Camille.

— Quoi ?

— J'ai oublié le cadeau.

Bel acte manqué.

— File le chercher, je sors la voiture du parking.

— D'accord, j'y vais.

Il la regarda partir.

— Camille !

Elle s'arrêta.

— Quoi, encore ?

— Tu es magnifique.

Elle fut gênée d'avoir râlé.

— Mouais.

Dans la voiture, ils se retrouvèrent dans la même posture que dans la salle de bains – à ceci près que le pare-brise ne leur renvoyait nul reflet d'eux-mêmes. Comme dans les films de Claude Sautet, où les couples, dans un nuage de Gitanes, ne se parlent vraiment qu'en regardant droit devant eux, cette situation s'avérait propice aux aveux, aux révélations, bref, à la parole libérée. Antoine en profita – d'autant qu'il y avait un peu de route : la réception avait lieu dans un ancien relais de chasse, près de Versailles.

— N'empêche, se lança-t-il dans un silence... On ne m'ôtera pas de l'idée qu'il y a un truc bizarre, dans tout ça... Pourquoi tout le monde vient aux cent ans d'une femme qui fait l'unanimité contre elle ?

Camille rabattit le miroir de courtoisie où elle venait de faire un dernier point sur son maquillage, sa coiffure, son fond de teint discret.

— Par curiosité un peu malsaine, je suppose. On espère toujours que quelqu'un va s'amender à la fin de sa vie. Et puis, il y a ce fameux testament et les gens veulent en avoir le cœur net...

— Quoi ? Quel testament ?

— On dit qu'elle a un joli magot mais que ses enfants n'en verront pas la couleur... Tout ira à une association canine...

— Hein ?

— ... Une association qui milite, tiens-toi bien, pour que les chiens aient une sépulture décente... Ça s'appelle « Un paradis pour nos amis », je crois... quelque chose comme ça...

— Mais elle est tarée !

— Non. Elle sait ce qu'elle fait. C'est pour ça que les gens viennent. Pour voir jusqu'où elle peut être capable d'aller. Même avec un siècle au compteur.

Le silence s'invita à nouveau dans l'habitacle. Il y

avait du monde sous le tunnel de Saint-Cloud. Et le cerveau d'Antoine ne semblait pas moins encombré.

— Je n'en reviens pas.

La voix de Camille se fit plus dure, comme par une sorte de mimétisme avec ce qu'elle allait dire.

— Tu as de la chance. Moi, plus rien ne m'étonne d'elle.

— Quand même…

Camille décida de fermer le ban.

— Antoine, cette femme a un jour confié à sa fille Adeline qu'elle était l'erreur de sa vie. À vingt ans, Adeline a essayé de se suicider. Tante Suzanne lui a alors dit que même ça, elle n'était pas capable de le réussir. Adeline s'est appliquée et deux ans après, sa mère pouvait être fière d'elle : on l'a retrouvée morte dans son lit et dans son sang. Elle s'était tailladé les veines.

Antoine faillit en lâcher le volant. Son haut-le-cœur fut d'autant plus violent que Camille et lui essayaient en vain, depuis trois ans, d'avoir un enfant.

— Putain…

— Regarde la route. Excuse-moi, je voulais t'épargner ça, mais là j'ai senti qu'il fallait que je t'ouvre un peu les yeux.

— On fait demi-tour. Je ne veux pas voir cette sorcière.

— Tu plaisantes ? Maintenant qu'on est là, on y va. Je veux que tu la voies : c'est aussi une façon de faire partie de la famille.

— Tu parles d'une famille… Et le fils ?

— Le fils, je sais qu'il s'appelle Pierre… mais pour le coup, vraiment, je ne sais rien de lui. Je crois qu'il est devenu un peu dingue après la mort de sa sœur. On m'a dit qu'il vivait dans un centre spécialisé.

— Mais il doit être vieux maintenant ?
— Vieux, je ne sais pas… la soixantaine, j'imagine.

Ils arrivèrent. L'endroit, charmant, correspondait exactement à ce qu'ils avaient imaginé : grilles, cour pavée, bâtiments XVIIe, toit à la Mansart. Rien ne trahissait le fait que le bâtiment fût désormais dévolu aux mariages et aux réceptions diverses. Le bon goût était de mise. Pour une fois, l'ancêtre n'avait pas lésiné sur les dépenses. Son autocélébration méritait bien quelques folies.

Quand Camille et Antoine pénétrèrent dans les lieux, ils ne furent pas davantage surpris de l'ambiance qui y régnait. Tout répondait aux critères d'une réunion de (bonne) famille, entre kermesse bon enfant et cérémonie religieuse tenant du baptême, du mariage ou de la communion. Une petite foule se pressait déjà autour des deux principaux centres d'intérêt – le buffet et le trône de tante Suzanne, dont on apercevait, entre deux épaules, la permanente chenue. Deux ou trois serveurs se frayaient un passage entre les costumes sombres et les tailleurs jaune canari ou rose fuchsia, levant haut des plateaux couverts de flûtes remplies de champagne, tandis que des enfants en nage piquaient des sprints sous l'œil de parents découragés. Le tout baignait dans un brouhaha de bon aloi, piqué comme un chapeau fleuri de rires féminins et d'exclamations masculines. Les haleines se champagnisaient, quand elles ne se chargeaient pas d'une redoutable pointe d'ail imputable à de piégeuses parts de painsurprise. Pour le reste, rien de nouveau sous les lambris, juste le charme discret de la bourgeoisie.

Une flûte, trois bonjours et quelques baisers sur les deux joues plus tard, Camille et Antoine prenaient leur place parmi la petite cour qui entourait la souveraine. Camille avait raison : dans cet empressement se mêlaient des sentiments aussi divers que diffus, allant de la curiosité malsaine au voyeurisme pervers en passant par la fascination que l'on peut ressentir devant les créatures étranges de la nature. De fait, tante Suzanne en était une : corsetée dans un ensemble bleu marine qui soulignait sa ligne impeccable, auréolée de sa somptueuse coiffure montée en neige et souriant de toutes ses dents – dont un sautoir de perles semblait le pendant –, elle était loin de faire son âge et on ne pouvait pas, en dépit de tout, ne pas admirer sa jeunesse.

Cent ans ! Le calcul donnait le tournis : elle avait eu deux ans à la fin de la Grande Guerre. Gamine pendant les Années folles. Elle avait eu vingt ans au moment du Front populaire. Même pas trente en 1945. Déjà cinquante-deux ans en mai 1968. Et quatre-vingt-quatre printemps en l'an 2000 ! Cette femme avait tout vu, les calèches, les chapeaux cloches, les premiers congés payés, l'informatique, le TGV, le téléphone portable, les premiers pas sur la Lune, Internet, la gauche, la droite, tout. Et le plus drôle, c'est qu'elle continuait de tout voir : dans chacun de ses coups d'œil distribués à la cantonade, on pouvait lire un « toi, tu as bien grossi », « mon Dieu, comme tu as vieilli », « c'est fou comme cet enfant est laid », « qu'elle est vulgaire, la copie de sa mère ».

Aimantée par ce spectacle comme un enfant par le feu, Camille ne put s'empêcher d'approcher sa tante pour, à son tour, faire ses grâces. Elle tira par la main Antoine, qui tenta de résister mais glissa sur le parquet ciré. Les voilà qui se retrouvèrent à ses pieds, presque prêts à la génuflexion, quémandant l'aumône d'une bague à baiser. Ils furent payés de retour : un sourire suspect les attendait, que démentait la dureté de deux petits yeux posés fixement sur eux. Ils se sentirent aussitôt déshabillés, dépecés, mis en pièce. La chose parla.

— Ma chérie, enfin te voilà ! J'ai cru que tu ne viendrais jamais.

— Bonjour tante Suzanne... Excusez-nous, on a eu un monde fou sur l'autoroute.

— Un week-end ? Mais comme c'est surprenant !

— Votre chien n'est pas là ?

— Oh, non, je l'ai fait garder, lui non plus n'aime pas la foule. Allez, présente-moi donc ton prince charmant pour te faire pardonner.

Camille poussa littéralement Antoine sur le devant de cette petite scène improvisée. Ce dernier s'inclina avec cérémonie, saisissant la vieille main parcheminée, toute parsemée de fleurs de cimetière.

— Bonjour madame...

— Ma tante, voulez-vous ?... C'est drôle, je vous voyais plus grand.

— Ah bon ? Désolé, répondit Antoine un peu bêtement.

Et la tante de se pencher vers Camille, le sourire onctueux et les rides épanouies :

— Quelle repartie ! Tu as eu raison de faire ce choix, ma petite fille : au moins personne ne te le piquera. Il y a chez les gens ordinaires une vraie sincérité. Peu de brio, certes, mais du bon sens. Quelque chose de rassurant.

Camille tenta une diversion.

— Joyeux anniversaire, tante Suzanne. Nous sommes ravis d'être ici.

La douairière l'inspecta des pieds à la tête, avec une sorte de dégoût.

— Comme tu mens mal, ma chérie. Mais peu importe. Et ce bébé, c'est pour quand ?

— C'est-à-dire que... pour le moment, les cigognes n'ont pas trouvé notre adresse.

— Tu sais qu'il n'y a pas de temps à perdre ! Le temps passe vite, et après, c'est trop tard. C'est triste, une femme sans enfants.

Camille se réveilla enfin :

— C'est un sujet dont vous pouvez parler, il me semble.

En une fraction de seconde, la vieille dame tomba le masque :

— Tu as raison, ma chérie. Et pour les cigognes, ne t'inquiète pas : entre volatiles, on se comprend, et elles auront tôt fait de trouver la maison d'une petite dinde.

Antoine ouvrit la bouche, Camille l'en empêcha. Elle lui murmura tendrement : « Laisse, mon amour, ça ne sert à rien. » Et ils prirent le large.

Ironie des circonstances, c'est à ce moment très précis qu'une adorable voix enfantine s'écria : « Ben alors, on souffle pas les bouzies ? »... L'occasion était trop belle pour ne pas s'engouffrer dans la brèche et les plus hardis de l'assemblée – ceux qui, tout foufous qu'ils étaient, avaient déjà descendu

au moins quatre coupes – entonnèrent à l'unisson :
« Mais oui ! Le gâteau, le gâteau !... »

Ainsi fut fait. Dans une atmosphère de complot,
on alla quérir le chef pâtissier qui, aidé d'un assis-
tant, poussa en direction de la reine une table rou-
lante portant un vacherin grand comme une roue
de vélo – et Antoine de songer que, de « vacherin »
à « vacherie » il n'y a qu'un « n » qui rime avec
« haine ». Cent bougies dûment allumées agrémen-
taient le chef-d'œuvre, au passage duquel les courti-
sans s'écartaient en courbettes pleines de déférence.
Quant aux enfants, ils se languissaient, sans que l'on
sût si cette impatience tenait à l'envie d'offrir leur
beau dessin en rougissant ou au désir irrépressible
de se ruer sur le gâteau à la crème.

Enfin, celui-ci parvint jusqu'à sa destinataire, qui
trônait toujours dans son fauteuil. Aussitôt, les cent
bougies éclairèrent par en dessous son visage. Si,
pour les plus gentils, cette aura lumineuse évo-
quait une peinture de Georges de La Tour, aux
autres il n'échappait pas que cette lumière cruelle
révélait en creux, comme en négatif, les véritables
traits de l'héroïne du jour : petits yeux noirs plus
enfoncés que jamais dans leur orbite, rides comme
des griffures, expression figée tout droit sortie du
théâtre Nô. À présent, toute l'assemblée faisait
cercle autour d'elle, les plus petits de taille se hissant sur la pointe des pieds pour y voir quelque
chose, les plus grands pointant leur smartphone
pour immortaliser le tableau en photo ou en film.
La royale aïeule fit un signe : le murmure stoppa
dans des « chut » dociles et un silence lourd s'ins-

talla aussitôt. Chacun retenait son souffle tandis que tante Suzanne prenait le sien.

C'est alors que tout alla très vite. Tante Suzanne, soucieuse de témoigner de sa bonne santé, prit en effet son élan et son souffle – mais sans doute un peu trop. Tendant son cou au-dessus des bougies pour les éteindre toutes, elle expira si fort que ce souffle fut son dernier : elle eut un hoquet, empoigna son cœur, sembla un peu surprise, puis s'éteignit, les dents en avant, en laissant lourdement tomber sa tête dans le gâteau – et cela fit un grand « flap » mouillé de chantilly ; dans les « oh » et les « ah », l'ensemble de l'édifice s'écroula d'un coup, la meringue, les fraises et même les bougies allumées, lesquelles mirent aussitôt le feu aux cheveux de la morte qui s'embrasèrent comme une torche – excès de laque oblige. Ce fut la panique. Les enfants hurlèrent et tout le monde recula. Enfin, un dégourdi vida sur l'incendie un broc de jus d'orange. Et ce fut à nouveau le silence.

Là, sous le regard de tous – et sous l'œil des smartphones – ne demeurait maintenant que ce spectacle hallucinant : tante Suzanne, le buste en avant et les bras ballants, la tête plongée jusqu'aux oreilles dans les fraises, sa chevelure roussie et détrempée évoquant une sorte de poulpe mort, le tout laissant monter d'ultimes fumerolles aux relents de brûlé. Voilà ce qu'il restait de la coiffure flamboyante qui avait toute sa vie fait la fierté de la défunte. Quant à l'autre atout majeur de feue tante Suzanne – son légendaire sourire –, il livra ses secrets au moment où sa tête fut soulevée pour être débarbouillée : dans la meringue et la crème, à la façon d'une grosse fève trouvée dans une galette des rois, un dentier étincelant souriait une dernière fois.

Qui a dit que la vie était injuste ? Si beaucoup restèrent sous le choc un long moment, il est à noter que nul ne pleura – excepté quelques enfants fortement impressionnés. Ceux qui la détestaient le plus – dont Antoine, sous le regard désapprobateur de Camille – trinquèrent au champagne. D'autres, bonnes âmes, avaient appelé les secours et jeté une nappe sur la dépouille toute fraîche. Quelques adolescents, toujours bien intentionnés, postaient hardiment sur les réseaux sociaux toutes les photos du drame. On y voyait la tête de tante Suzanne posée sur son gâteau comme celle d'un veau dans son cresson.

Tout le monde en était là de sa stupéfaction lorsque soudain, du fond de la salle, un rire monta qui glaça le sang des plus blasés. Dans une synchronisation parfaite, les têtes pivotèrent vers le même coin de pénombre. Ce rire fou, grinçant, irrépressible, qui dans ses saccades mêmes charriait toute la rancœur du monde, c'était celui d'un homme qui semblait bien connaître la défunte mais que personne n'avait reconnu. La soixantaine, les cheveux épais mais ébouriffés, comme sorti de nulle part, il avait pourtant bel et bien un air de famille – un air qui ne trompait pas.

Caryl Férey

« Le voilà, ton cadeau »

B.B., c'était le nom de la banque. Depuis un mois que Mario repérait les lieux, il connaissait le bâtiment comme sa poche, les horaires des flics et ceux des guichetiers ; ils étaient trois derrière leur comptoir, innocents, comptables.

— Personne ne bouge, c'est un hold-up ! brailla Mario sous sa cagoule. Toi le gros, tu lèves les bras ! Tu lèves les bras !!! Toi aussi miss Monde !

Mario portait un bas de femme sur le visage et un pistolet-mitrailleur qu'il logeait sous le nez des malheureux employés.

— Le premier qui l'ouvre ou qui fait un geste de travers, je le décapite, c'est compris ? Bon, toi la naine : ouvre le coffret ! Le 403 !... Oui, celui-là ! Et arrête de pleurnicher ou je te vide mon chargeur dans la gueule ! il répéta. Active !

La pauvre femme tremblait comme une feuille : elle se pencha vers le coffret 403 et actionna le mécanisme d'ouverture.

— Putain...

Un bébé de seize mois babillait dans son panier.

— C'est lui le bébé 403 ?! proféra Mario.

— Oui, répondit la préposée.

— File-le-moi. Vite.

B.B. était le sigle de Baby Bank. Mario braquait la plus grosse banque de bébés du pays.

— Tenez-le bien, bredouilla la femme, il n'a que seize mois...

— Ta gueule.

Mario prit le bébé dans ses bras, sans cesser de braquer l'assistance médusée.

— Il a un nom, ce gniard ?

— Pas encore... On l'appelle 403, en attendant.

— Tu parles d'un cadeau.

Mario jaugea le petit bout d'homme.

— Toi tu te mets à chialer, je te corrige à mort, le prévint-il.

Puis il se tourna vers les employés, sur le qui-vive.

— Bon, maintenant je vais reculer vers la sortie : le premier qui respire trop fort, je le truffe de plomb ! La naine, tu viens avec moi, au cas où un de tes collègues ferait du zèle !

— Je vous en prie, ne me...

— *Bouge ton cul !*

Ils reculèrent ensemble, Mario avec 403 dans les bras et le pistolet-mitrailleur balayant les guichets de la banque, la naine grelottant de peur. Ils passèrent la porte d'entrée, puis les deux agents de sécurité qui gisaient à terre. Mario jeta un œil dans la rue : la voie était libre.

Ils se mêlèrent à la foule, affairée à ses courses. Personne n'avait rien remarqué.

— Casse-toi, conasse, avant que je t'embarque comme nounou, feula-t-il à l'attention de la femme de petite taille.

Quand la police arriva sur les lieux du braquage, Mario était déjà loin. Il observait 403, le bébé, harnaché à l'arrière du véhicule volé, l'œil inquisiteur. Mario n'avait pas connu son père, sa mère ne l'avait pas aimé, il était le dernier d'une fratrie qui avait passé la moitié de son temps à lui cogner dessus pour voir s'il vivait encore.

— Alors autant te dire que c'est pas avec tes petits bras boudinés que tu vas m'attendrir ! lança-t-il au bébé coincé sur la banquette arrière. 403 !

Le bébé babillait comme s'il était son papa. N'importe quoi, il bougonnait au volant de la voiture.

Mario traversa plusieurs quartiers de la ville avant de stopper devant la façade d'une maison discrète, à l'ombre de grands chênes. Il détacha l'enfant, jeta un nouveau coup d'œil vers la rue vide, emporta le paquet avec lui, caché sous une couverture.

C'était une vieille maison bourgeoise, avec du lierre sur les murs et des hirondelles nichées sous les toits. Mario poussa la grille et marcha sur le gravier qui menait à la porte d'entrée. Une sonnerie, puis deux. Enfin, une superbe femme d'exactement trente ans ouvrit la porte de la maison bourgeoise : Vera.

— Vous attendiez quoi, le déluge ? grogna-t-il.

Vera Nielsen avait de longs cheveux blond vénitien, en chute libre jusqu'au creux de ses reins.

— Ainsi c'est vous le fameux Mario… Vous avez mon cadeau d'anniversaire ?

— Évidemment.

— Pas de morts ?

— Pas trop.

— Et la police ?

— En retard, comme d'habitude.

— Bien… Entrez.

Ils s'installèrent dans l'élégant salon de Vera, enchantée et nerveuse à l'idée de recevoir son précieux cadeau.

— Ho ! Qu'il est mignon ! s'attendrit Vera en découvrant l'enfant.

— Je le trouve plutôt rose comme un cochon, mais après tout, c'est votre cadeau d'anniversaire…

— Vous n'êtes pas une femme, vous ne pouvez pas comprendre ce que ce bébé représente pour moi. Pour quelqu'un qui ne peut pas avoir d'enfants, c'est un cadeau en tout point inestimable… Un rêve, qui grâce à vous devient réalité.

Mario grogna, en guise d'assentiment.

— Vous savez son âge ?

— Seize mois, il paraît. Autrement il s'appelle 403. C'est tout ce que je sais.

— Même pas d'où il vient ?

— D'un coffre de la B.B. Désolé mais je n'étais pas à une garderie.

— Pauvre petit, minauda Vera. Viens mon chéri, ta nouvelle maman va s'occuper de toi…

Le bébé babillait toujours.

— Il faudrait surtout que la maman me file le fric.

— Ce que vous êtes émouvant, monsieur Mario.

— Je suis pas payé pour ça.

— Attendez au moins que je lui donne son biberon : le pauvre chéri doit avoir une faim de loup.

— L'argent, c'est tout ce qui m'intéresse, recadra Mario. Donnez-le-moi et nous pourrons nous faire des adieux déchirants.

— Oui... Oui, vous avez fait du bon travail, monsieur Mario. Et je vous en remercie.

— Si on peut rendre service à une femme en détresse.

— Une maman !

— Une maman qui me doit soixante mille dollars.

— Oui, oui... L'argent est là, dans le coffre.

Vera virevoltait dans le salon de la maison bourgeoise, si heureuse qu'elle n'avait jamais été aussi belle. Mario suivit ses longues boucles vénitiennes sur le chemin du petit coffre posé sur la cheminée, le jeu de ses hanches sous la robe blanche. Un sacré cul, la petite, songea le ravisseur. C'est ce qui le perdit.

— Voilà votre argent, *Mario,* fit Vera avec dédain.

Mario ouvrit des yeux ronds.

— Qu'est-ce que c'est que ça ?!

— Un revolver, vous le voyez bien. Chargé évidemment.

— C'est ridicule. Vous avez ce que vous vouliez, non, le cadeau rêvé ?! Vous êtes riche : c'est pas soixante mille dollars qui vont y changer quelque chose.

— Certes, concéda la trentenaire, mais que voulez-vous, on ne choisit pas toujours dans la vie...

Elle releva le chien.

— Vous êtes folle !

— Juste un peu ; juste assez.

— Nous avions un contrat, grinça Mario.

— Oui, et je le romps. Il ne faut pas faire confiance à des femmes comme moi.

— Sale petite pute, siffla-t-il entre ses dents.

— Et distingué par-dessus le marché.

Elle visa son ventre, deux fois.

— Sale… p…

Vera tira deux autres coups.

— Pute, oui, tu l'as déjà dit.

Mario s'écroula dans un dernier râle.

Seul le bébé continuait de zezeuter.

*
* *

Vera conduisait, un foulard sur la tête, de grandes lunettes noires sur son visage pâle. Satisfaction, anxiété, Vera naviguait à vue. La deuxième partie de son plan n'était pas une partie de plaisir. Pour ça, elle verrait plus tard, avec Rolland. Elle pensait à lui, pour se donner du courage. Le petit prince n'avait qu'à bien se tenir… Enfin, elle arriva.

L'enceinte qui lui faisait face avait la discrétion vulgaire des hôtels particuliers bradés aux marchands de tapis. Vera n'était pas de cette classe. Elle se fit annoncer et, discrètement comme convenu, prit la porte dérobée qui donnait sur le bureau de Sergueï Youmenko, qui l'accueillit en ouvrant les bras.

— Ma chère Vera ! Toujours aussi spectaculaire !

— Bonjour monsieur Youmenko.

— Sergueï, je vous prie… Vous voulez boire un verre ?

— Non, merci.

— Bien. Tout s'est visiblement déroulé comme prévu… Vous avez mon cadeau ?

— Voyez par vous-même…

Le bébé babillait depuis son panier. Younenko se pencha d'un air enamouré.

— Eh bien alors ?! Comment tu t'appelles, toi, petit joufflu ?!

— Pour le moment il a le nom du coffre de la Baby Bank : 403.

— Adorable poupin... Tenez, posez-le sur ce fauteuil.

Vera s'exécuta de bonne grâce.

— Tiens, assieds-toi là mon bébé...

Youmenko la regardait faire, son impeccable costume sur ses épaules de boxeur à la retraite.

— Il a l'air de se porter comme un charme... Comme vous, ma chère, ajouta-t-il, flatteur.

— Merci... Mais sachez que mon sex-appeal sera encore plus éblouissant avec la deuxième partie du contrat en poche.

Le Russe rit doucement.

— Incorrigible tigresse... Tenez, dit-il, l'enveloppe est sous votre nez.

Vera ouvrit l'enveloppe qui attendait sur le guéridon voisin, évalua les billets.

— Cent mille dollars, fit Youmenko : c'est ce qui était convenu...

— Oui... Oui ça devrait faire le compte...

— Heu, dernière précision avant de vous laisser filer, reprit-il : notre ami Mario...

— Ne témoignera plus de rien, sinon de ses péchés devant Dieu, certifia Vera.

— Paix à son âme, ironisa le maître des lieux.

Vera empocha la précieuse enveloppe, tira le zip de son sac à mains.

— Pour le bébé, n'oubliez pas qu'il mange trois fois par jour, lança-t-elle avant de partir.

— Comptez sur moi.

Vera se pencha une dernière fois vers le bébé.

— Salut petit 403 ! Hum... Trop chou...

— Je donne une réception demain soir, ici même, informa Youmenko. Si vous voulez vous joindre à nous, ce serait avec plaisir, mademoiselle.

— Merci Sergueï... J'y réfléchirai.

— À la bonne heure.

— Au revoir, fit-elle en se dirigeant vers la sortie.

— À demain j'espère...

C'était tout réfléchi : Vera Nielsen avait cent mille dollars à dépenser au bras de Rolland, le petit prince de ses nuits. Il s'agissait maintenant d'y planter ses griffes d'amour, et ne plus le lâcher... Vera songeait à lui en grimpant dans l'habitacle de sa voiture. L'air était chaud par la vitre ouverte. Vera mit le contact quand elle sentit l'acier froid d'un canon contre sa tempe.

— Mais, qu'est-ce que...

Un coup de feu l'envoya en enfer.

Vera Nielsen ne reverrait jamais son amant. Ni les cent mille dollars dans son sac à main.

Le Russe fumait un cigare dans son bureau.

— Comment s'est passée cette petite promenade dans la cour, mon cher Vlad ? demanda-t-il.

— Parfaitement, monsieur Youmenko. Voilà l'enveloppe avec l'argent, ajouta le majordome en déposant le tout sur la table de bois verni. Le compte y est, j'imagine : votre cliente n'a pas trop eu le temps de dépenser jusqu'à sa voiture...

— Vous voilà boute-en-train, Vlad.

— Depuis le temps que je sers monsieur, j'ai appris à rire de tout.

Youmenko releva un œil vers son employé.

— Dois-je bien le prendre ?

— Je ne me permettrais pas d'ironiser devant monsieur.

— Bien sûr...

— Voulez-vous que je donne la becquée à ce très jeune homme ? demanda Vlad en reluquant le panier.

— Non, il risquerait de s'endormir... Faites plutôt venir Sir Harper.

— Tout de suite, monsieur.

— Et vous n'oublierez pas la voiture de monsieur Doyle, enchaîna Youmenko.

— C'est fait, monsieur.

— Bien Vlad, bien...

Vlad quitta la pièce d'un pas traînant, toujours le même. Le téléphone portable sonna alors dans sa veste. Youmenko décrocha et très vite s'irrita.

— Non, glapit-il : j'ai demandé qu'on ne me dérange pas !

On frappa à la porte, qui s'ouvrit dans la foulée. Un homme aux favoris grisonnants apparut, le visage rougi.

— Ah ! Sir Harper ! s'esclaffa le Russe.

— Parlez plus bas, je vous prie !

— Allons, allons, vous êtes ici en lieu sûr... La preuve, tout le monde y vient !

— Oui... Enfin...

Sir Harper n'était plus une jeunesse mais il était resté vert.

— Je vous rassure, vous n'êtes pas le seul petit cachottier dans cette maison, le rassura Youmenko. Alors, comment trouvez-vous votre cadeau ?

Le bébé babillait sous le regard de Sir Harper.

— Aah… Oui… Oui, balbutia-t-il, c'est un joli bébé…

— Comment ça « joli » ?! Vous voulez rire, Sir Harper : il est tout bonnement magnifique !

Le vieil homme évalua l'enfant :

— Oui… Heu… Oui, c'est un très beau bébé…

— Ah ! Voilà qui est mieux !

Sir Harper se racla la gorge.

— Il n'y a pas eu de problèmes ?

— Aucun.

— Les témoins…

— Ne témoigneront plus de rien, déclara Youmenko. Ni demain ni jamais.

— Ah… Bien. Très bien.

Le vieil aristocrate se tenait les mains comme si elles allaient tomber.

— Maintenant que vous êtes satisfait de votre cadeau, reprit Youmenko, si nous passions à la transaction à proprement parler…

— Oui. Tout est là, dans la mallette.

— Vous avez pensé au petit supplément ?

— Vous appelez ça un supplément ? s'empourpra Sir Harper. C'est presque le double de la somme initiale.

— Le problème avec les tout jeunes, c'est qu'ils ne servent en général qu'une fois, fit le Russe d'un air perfide : voilà pourquoi je les facture très cher.

Harper soupira malgré lui, posa la mallette sur le bureau.

— Voilà l'argent. Vous recompterez si ça vous amuse.

— Je vous fais entière confiance, Sir Harper. Vlad, mon secrétaire particulier, vous conduira dans la suite que nous vous avons réservée. Faites bon usage de votre cadeau, cher ami...

Sir Harper n'avait jamais pris de si petits bébés dans ses bras. Les siens avaient été vigoureux jadis, quand il courait les bals et les parties de polo. Une autre époque... L'enfant avait le sobriquet stupide de 403, sans que quiconque eût pris le soin de le baptiser. Un pur rejeton de la Baby Bank. Peut-être était-ce mieux ainsi, songea Sir Harper.

— Si monsieur veut bien se donner la peine, fit le majordome d'un air engageant.

L'hôtel de Serguéï Youmenko était d'un genre très particulier. Par un jeu de portes dérobées, on n'y croisait personne, mais du beau monde passait par ici. Un havre de plaisir, ou plutôt un havre des plaisirs, qui n'avaient pas de limites... C'est ce qui en faisait son charme...

— Monsieur veut-il que je l'aide ? s'enquit Vlad.

— Non, merci, renvoya sèchement Sir Harper. Je peux encore porter un bébé.

Sir Harper était tendu. On le serait à moins étant donné son poste au Conseil. Youmenko lui avait assuré la plus totale discrétion quant à sa petite incartade – les adultères étaient ici monnaie courante –, mais il se méfiait des gens de l'Est. Un vieux réflexe, qui lui venait de sa jeunesse anti-communiste.

Vlad poussa la porte du nid d'amour.

— C'est ici...

Une pièce ronde, sans miroir, avec un lit à baldaquin et des coussins moelleux. Il y avait aussi un petit salon et une cheminée où crépitait un feu.

— La suite vous plaît-elle ?

— Oui... Oui, ça ira très bien.

— J'ai laissé la fenêtre ouverte, pour donner un peu d'air dans les pièces, ajouta le majordome. Elle donne sur le jardin intérieur, que vous découvrirez en vous penchant un peu... L'accès y étant strictement interdit, vous ne serez pas dérangé.

— Bien...

— Autre chose, monsieur ?

— Non... Non, vous pouvez disposer.

— Bien, monsieur...

Vlad ferma la porte dans son dos, laissant Sir Harper avec son cadeau. Des oiseaux chantaient dans le jardin mais Sir Harper avait du mal à respirer. Il déboutonna sa cravate ; c'est vrai qu'il faisait chaud. Ou alors est-ce l'excitation, la frustration qui pesait sur lui nuit et jour... Il déposa le bébé dans un coin du canapé et se dirigea vers la fenêtre... Sir Harper observa les alentours par la fenêtre, il n'y avait pas de vis-à-vis, et se pencha discrètement vers le jardin désert... Alors seulement il se sentit mieux... Le bébé était là, poupin, avec ses petites mains si bien dessinées... L'homme ôta sa veste de lin, ses chaussures, et marcha nu-pieds sur le parquet. Une douce sensation de fraîcheur envahit son corps fatigué. Sir Harper déboutonna sa chemise, lentement, puis fit glisser son pantalon sur le sol. Une sévère érection le prenait, de celles qui lui rappelaient sa fameuse jeunesse... Au fond sa femme ne l'avait jamais aimé. L'argent et le pouvoir corrompent, bien sûr, mais il y avait autre chose, une barrière entre eux, comme s'ils n'étaient pas du même genre humain... En flagrant délit de fougue, Sir Harper approcha du bébé et commença à le déshabiller. Lui aussi devait avoir chaud. Il entendit alors un bruit dans son dos, celui de plusieurs photos prises en rafale. Tac tac tac tac...

— Eh bien, mon salaud ! railla l'homme dans son dos.

Sir Harper eut un cri de stupeur, tandis qu'une autre série de photos le prenait en rafale.

— Qui êtes-vous ?! paniqua-t-il. Qu'est-ce que vous faites là ?!

Un homme au visage carré le fixait, un sourire narquois aux lèvres.

— Ne vous fatiguez pas, Sir Harper. Lieutenant Doyle, de la Répression des mœurs. Dites-moi, vous êtes toujours vert pour un homme de votre âge...

— Misérable, maudit Sir Harper entre ses lèvres.

— Je vous renvoie le compliment, fit le lieutenant Doyle : depuis le temps qu'on vous piste...

Sir Harper retrouva son autorité naturelle :

— Qui est votre supérieur ? lança-t-il au policier.

— Vous ne vous en tirerez pas comme ça, Harper. Car à partir de maintenant, c'est fini les « Sir ». Vous allez voir en prison comment on s'occupe des gens comme vous.

— Vous... vous délirez !

— Comment appelle-t-on un homme nu en érection devant un enfant ?

— J'appelle l'hôtel !

— Allez-y, Harper : ils sont au courant... Oui, sourit le policier, ça fait des heures que je vous attends dans cette suite. Des années que je vous colle aux fesses, en attendant de vous prendre en flag.

— Youmenko, grogna le vieil homme.

— Youmenko vous a vendu, oui. À vrai dire, il n'a pas eu le choix.

— Maudit soit-il... Maudits soyez-vous tous !

— En attendant, vous allez me suivre au commissariat, Harper. Avec ce joli bébé.

Horreur. Catastrophe. La fin d'un songe – la vie.

— Jamais, rugit Sir Harper. Jamais !

Sans coup férir, avec une agilité étonnante pour son âge, Sir Harper se précipita vers la fenêtre ouverte. Le lieutenant Doyle n'eut pas le temps d'intervenir : l'homme bascula par-dessus le balcon, et s'écrasa quinze mètres plus bas dans un bruit mat, désagréable.

— Putain...

Le corps de Sir Harper gisait sur la dalle, inerte. À cette hauteur, Doyle ne douta pas qu'il s'était rompu le cou...

— C'est malin, souffla le policier. Mais après tout, tu me facilites la tâche, vieux bouc...

Le lieutenant Doyle avait les preuves de la culpabilité de Sir Harper, mais l'arrestation se soldait par un fiasco – en plus d'un scandale. Ses supérieurs ne lui pardonneraient pas. En guise d'avancement, le policier aurait droit à de sévères réprimandes : comment un homme vigoureux comme lui pouvait avoir laissé un vieillard se jeter par la fenêtre ?

Youmenko surgit alors dans la chambre d'amour, exsangue.

— Qu'est-ce qui s'est passé ?! glapit-il. Vous l'avez vu tomber ?! Sir Harper ?!

— Oui, opina Doyle. Je l'ai photographié en flagrant délit, mais ce vieux satyre m'a pris de court ; il s'est jeté par la fenêtre sans que je puisse intervenir... Plutôt la mort que le déshonneur...

— C'est gênant, s'assombrit le Russe. C'est affreusement gênant.

— Ça dépend. Venez voir…

— Quoi ?

— Le corps par le balcon.

— Qu'est-ce qu'il a ?

— Venez voir, je vous dis.

Les deux hommes firent quelques pas vers le balcon. Le chant des oiseaux se fit plus distinct.

— Qu'est-ce qu'il y a de spécial ?

— Penchez-vous, vous verrez.

— Il n'y a rien de spéciaaaa… !

Doyle était plus jeune, plus fort ; il empoigna vigoureusement Youmenko et le précipita par le balcon, tête la première.

Le policier mit plusieurs secondes avant de retrouver son calme. Le bébé babillait dans son panier mais il ne l'entendait pas.

— Vlad ! appela-t-il.

Le majordome apparut aussitôt.

— Oui, monsieur Doyle ?

— Monsieur Youmenko a préféré se défenestrer plutôt que de subir les affres de la justice, dit-il. Vous avez l'argent de Sir Harper ?

— Oui monsieur, répondit Vlad, impassible. Voici la mallette qu'il a laissée.

— Merci Vlad… À partir de maintenant, c'est moi qui gère cet hôtel particulier : est-ce que les choses sont claires ?

— Parfaitement monsieur.

— Pour tout le monde ?

— Oui monsieur, pour tout le monde.

— Bien. Vous allez vous débarrasser des corps pendant que je baratine mes supérieurs. Sir Harper n'a jamais mis les pieds ici : entendu ?

— Oui monsieur Doyle.

Une chose cependant semblait chiffonner le majordome.

— Et... le bébé ? s'enquit-il.

— Qu'il aille au diable ! dit le policier. Faites-en ce que vous voulez : le plus important, c'est de se débarrasser des corps.

— À vos ordres, monsieur.

— Exécution.

Le lieutenant Doyle laissa le bébé dans la suite et descendit par une porte dérobée jusqu'à la cour des domestiques. Sa voiture était garée un peu plus loin, à l'extérieur du bâtiment. Doyle se fichait de son avancement, des réprimandes de ses supérieurs, de tout. Il avait deux cent mille dollars en liquide, dans la mallette. La voiture attendait le long du trottoir ; Doyle grimpa à bord, posa l'argent sur le siège et enfonça la clé de contact sans savoir que le véhicule était piégé.

Son corps fut pulvérisé par la charge, Doyle et le souvenir même des dollars qu'il emportait dans la mort.

Le bébé, lui, babillait toujours.

Karine Giébel

J'ai appris le silence

Quand je sors de l'ombre, elle se fige de la tête aux pieds. Elle voit l'arme pointée sur elle, ses mains se mettent à trembler. Je les regarde s'agiter de petits soubresauts pathétiques et je dois avouer que j'aime ça.

Pendant de longues secondes, je savoure l'instant. Cette sensation de toute-puissance. Ce sentiment, incomparable, de maîtriser la situation.

De dominer l'autre.

Elle recule d'un pas, se colle contre la carrosserie de sa voiture.

— Surtout, ne bougez pas...

Elle vient tout juste de rentrer de l'hôpital, comme chaque soir de la semaine. Je l'attendais dans l'obscurité de son garage depuis deux bonnes heures. Ça m'a paru une éternité.

Mais j'ai appris la patience.

— Qui êtes-vous ? demande-t-elle.

— Je ne suis plus personne... Mais quelle importance ?

Je souris. J'imagine à quel point ce sourire doit être effrayant. Je le devine à son regard terrorisé.

Quand je me croise dans le miroir, ça me fait le même effet.

Je suis devenu monstrueux.

Elle, d'une blancheur cadavérique. Prête pour l'autopsie.

Pendant une seconde, je me projette dans l'avenir et vois son corps abîmé entre les mains gantées d'un légiste.

Ça me laisse de marbre.

Je m'avance un peu plus vers ma proie, la lumière tombe sur mon visage.

— Oh mon Dieu ! murmure-t-elle.

— Lui-même. Pour vous servir.

Ma voix aussi a changé. Dure, sèche. Aussi tranchante qu'une lame.

— Qu'est-ce que vous me voulez ?

— Ta gueule.

Je n'ai même pas haussé le ton. Inutile. Elle a compris, elle se tait.

— On va faire une balade, dis-je en ouvrant la portière de son Opel. Tu prends le volant.

Elle hésite un instant, j'arme le chien. Alors, elle monte dans sa voiture tandis que je m'installe sur la banquette arrière.

— Ton portable… Vite.

Elle me le tend et je l'éteins avant de l'écraser furieusement sous ma semelle.

— Démarre.

— Où on va ? ose-t-elle.

— Tu verras bien. Démarre, j'ai dit.

Les nuits ne sont jamais calmes. Jamais étoilées.
Seulement peuplées de lumières artificielles et d'ombres

effrayantes. *Celles du passé, celles de l'avenir. Celles du présent, aussi.*

Le sommeil est épouvantable. Peuplé de dangers et de regrets.

Ceux qui nous guettent, qui nous réveillent en sursaut.

Les nuits sont interminables. Peuplées de bruits, de rumeurs, d'odeurs.

Ça ne s'arrête jamais.

Il y a les cris, les rires sauvages, les menaces. Les insultes. Les murmures qui rampent, tels des insectes venimeux. Qui s'insinuent dans vos oreilles et jusque dans votre cerveau au bord de la rupture.

Les confidences qu'on voudrait ne pas entendre, les mains tendues qu'on refuse.

Il y a les désespoirs, les abandons, les lamentations.

Les angoisses. Celles que génèrent les lendemains.

Il y a les pleurs, aussi. Les sanglots qu'on étouffe dans l'oreiller.

Et parfois, il y a les silences. Encore plus terribles que tout le reste…

Quatre heures du matin, nous roulons encore. Mais bientôt, nous serons à destination.

De temps à autre, au gré des rares lumières qui éclairent notre parcours, j'aperçois le visage crispé de ma prisonnière. Patricia Vernet, elle s'appelle.

Comme je la surveille depuis des mois, je sais qu'elle est divorcée et vit avec ses deux enfants. Une fille et un garçon qu'elle ne doit pas voir souvent, étant donné qu'elle passe le plus clair de son temps à l'hôpital où elle dirige le service de cardiologie. Elle a dépassé les quarante ans depuis quelques années, je la trouve vraiment charmante. Petite, brune, les cheveux courts. Une bouche un peu boudeuse, un regard un peu triste.

— On arrive, dis-je.

Ma voix la fait sursauter. Sans doute parce que je n'ai pas prononcé un seul mot depuis notre départ de la région parisienne. Je peux rester des heures et même des jours sans parler.

Parce que j'ai appris le silence.

Celui qui vient de l'intérieur. Celui qui s'impose à vous.

— Prends à droite.

La voiture s'engage sur une piste étroite qui descend jusqu'à l'imposant portail noir. Infranchissable. De ma poche, j'extirpe une petite télécommande.

— Écoutez, je ne sais pas ce que vous me voulez, mais…

— Je t'ai dit de la fermer. Tu auras le temps de parler. Plus tard. De parler ou de crier… Même de hurler, si tu veux !

Le portail s'ouvre lentement sur une allée de gravillons. Les lumières s'allument sur notre passage et nous arrivons quelques secondes plus tard devant une magnifique demeure.

— Coupe le moteur.

Elle tourne la clef dans le contact, pose les mains sur ses genoux, dans l'attente de mes instructions. Elle regarde le château, dont la façade est éclairée par quelques lampes judicieusement placées.

— Comment tu trouves ma nouvelle maison ? demandé-je.

Elle garde le silence, je pose le canon de mon revolver sur sa nuque. Je sens son corps se raidir à ce contact.

— Donne-moi la clef. Vite.

Cela fait des heures qu'elle conduit, sous la menace silencieuse de mon arme. Tendue à l'extrême, elle doit être épuisée.

Tant mieux.

— Descends.

Dès qu'elle pose un pied par terre, je la rejoins et l'attrape par le bras. Ses jambes ont du mal à la porter, sans doute ankylosées par cet interminable voyage. Sans doute paralysées par une profonde terreur.

Celle qui vous prend, vous submerge. Vous dévore.

Je comprends ce qu'elle ressent.

Parce que j'ai appris la peur.

— Voici ta dernière demeure, murmuré-je dans son oreille. J'espère qu'elle te plaît ?

Retourner à l'état sauvage.

Oublier tout ce que l'on a appris, pour découvrir de nouvelles règles.

Oublier qui on est. Ou plutôt qui on était.

Oublier... son nom, ses principes, ses rêves.

Devenir quelqu'un d'autre. Quelqu'un capable d'affronter l'indicible. Lentement, se fabriquer une armure. Capable d'amortir les coups et de dissimuler les faiblesses.

Parce que chaque faille est une raison de mourir.

Oublier le rire, le plaisir et l'envie.

Ne plus penser qu'à une chose, une seule.

Survivre.

Il fait jour lorsque j'échappe à mon cauchemar. C'est souvent le même, mais avec quelques variantes, toutefois.

Je marche sur le bord d'une falaise. Des gens me regardent.

En contrebas, il y a un océan dont l'eau noire, impénétrable, déferle furieusement sur des rochers aiguisés.

Je marche, longtemps. Et d'un seul coup, je bascule, poussé par je ne sais quelle force. Je parviens à me cramponner à un rocher.

Personne ne vient à mon secours.

Soudain, des mains agrippent mes chevilles pour m'attirer vers le vide. Je résiste tant que je peux. De toutes mes forces.

Des forces, je n'en ai plus.

Alors, je tombe.

Une chute sans fin.

Une terreur sans nom...

Je tourne la tête vers la fenêtre ouverte. Là, j'écoute le ciel, je regarde le vent. Sans parvenir à m'en lasser.

Ce cauchemar n'est pas le plus terrible. Il y en a de bien pires.

Il y a les souvenirs.

Je jette un œil au réveil et constate qu'il est 10 heures. Le temps de m'occuper de Patricia Vernet – pardon, du docteur Patricia Vernet – je me suis couché à l'aube. Mais quatre heures de sommeil me suffisent.

Parce que j'ai appris l'endurance.

Pieds nus sur le parquet, je traverse la chambre en direction de la grande salle de bains. Là, j'ai le choix entre une baignoire à jets ou une douche à l'italienne. Un luxe auquel je ne m'habitue pas encore.

Ce matin, ce sera la douche. J'y passe un bon quart d'heure avant de m'habiller. Je quitte la chambre, emprunte le couloir et descends l'imposant escalier en marbre.

J'aime cette maison, ou plutôt ce château. Construit au XIXe siècle, en plein cœur d'une forêt, il devait servir de maison de campagne à quelque riche industriel lyonnais ou grenoblois.

J'ouvre l'imposante porte en bois et admire quelques instants le parc baigné de lumière. Ces grands arbres tranquilles, témoins silencieux de la rage des hommes.

Témoins de ma folie.

Mais j'ai parfois l'impression étrange qu'ils me comprennent. Sans doute me fais-je des idées…

Comme la faim me tenaille, je passe dans la cuisine pour me préparer un café et avaler quelques tranches de pain.

Aujourd'hui est un jour particulier.

Aujourd'hui, j'ai quelque chose à fêter.

Après le petit déjeuner, je fume une cigarette sur le perron. Puis je marche dans le parc, d'un pas lent, les mains au fond des poches de mon jean. Je descends la grande prairie derrière la bâtisse et m'arrête à l'orée de l'immense forêt. Aujourd'hui, je n'ai pas le temps d'aller m'y balader, d'arpenter ses sentiers ombragés, d'admirer ses étangs secrets. Aujourd'hui, j'ai un anniversaire à fêter.

Alors, je remonte vers le château et pénètre dans la petite chapelle à sa droite. Des ex-voto ornent les murs, qui pourraient presque me faire croire que les miracles existent tant ils semblent sincères. Je m'assois face à l'autel et fixe le crucifix en bois peint.

Personne ne pourra plus me juger, ici-bas.

Jamais.

Désormais, c'est moi qui ferai tomber les sentences.

Sans pitié aucune.

Quand je remonte à l'étage, il est presque 11 heures. J'ouvre la porte d'une des chambres, celle située tout au bout du couloir. Les stores sont baissés, mes yeux mettent quelques instants à s'habituer à la pénombre.

Elle est là.

Attachée au pied du lit à baldaquin, Sophie me jette un regard terrifié. Je m'accroupis devant elle, caresse sa joue meurtrie. Elle s'est rebellée, m'obligeant à employer la manière forte. Ses longs cheveux blonds couvrent ses épaules fatiguées. Ses yeux bleus sont cernés de mauve.

Je ne sais pas pourquoi je ne l'ai pas traitée comme les autres. Sans doute parce qu'elle hante mon esprit. Depuis si longtemps.

Combien de nuits passées à penser à elle ? À imaginer ce que je pourrais faire avec elle…

Délicatement, je la libère de son bâillon.

— Salut… Bien dormi ?

Elle ne répond pas, consciente que les mots ne sont plus d'aucune utilité.

Au début, elle a appelé au secours. J'ai eu beau lui expliquer que cela ne servait à rien, elle a continué. Alors, je l'ai empêchée de crier.

J'ai besoin de calme et ne voulais pas qu'elle perde sa voix. Peut-être parce que j'ai envie qu'elle puisse me supplier le moment venu.

Cela fait déjà une semaine qu'elle est là. Recluse dans cette chambre.

À ma merci.

Je lui ai donné de l'eau et quelques trucs à manger. Pour qu'elle reste en vie.

Jusqu'à aujourd'hui.

— C'est le grand jour, dis-je.

Elle ne répond toujours rien, tourne la tête vers la fenêtre. Pour ne plus voir mon visage, je suppose.

— Je vais te détacher. Et je te conseille de rester tranquille. Ne m'oblige pas à te frapper, d'accord ?

Elle hoche doucement la tête, en signe d'assentiment. Alors, je sors de ma poche un couteau et commence à trancher ses liens.

La voilà libre de ses mouvements. Elle ramène ses bras devant elle, regarde ses poignets marqués par la corde, s'essaie à quelques mouvements lents et précautionneux.

Ses yeux évitent toujours mon visage.

Avant, j'étais plutôt séduisant, je crois. Mais aujourd'hui, je ne suis plus que l'ombre de ce que j'étais.

Une ombre redoutable.

— Debout.

Elle replie ses jambes, se met à genoux et se relève doucement.

— Plus vite.

Je l'attrape par le bras, l'entraîne vers la porte. Elle résiste, j'y mets plus de force.

— Allez viens !

Nous nous engageons dans le long couloir. Et soudain, elle m'échappe. Elle s'enfuit vers l'escalier, je la suis sans aucune hâte. Elle dévale les marches, se précipite vers la lourde porte en bois.

Verrouillée, bien sûr.

Elle s'acharne sur la poignée tandis que je l'observe d'un air désolé.

— Tu perds ton temps, dis-je.

Elle crie, elle pleure, tire sur la poignée métallique comme une forcenée.

Je m'approche, elle s'enfuit à nouveau. Mais elle est prise au piège dans le grand hall. J'ai fermé toutes les portes à clef.

Aucune issue.

Aucun moyen de m'échapper.

Elle repart vers l'escalier, j'accélère le mouvement. Je la rattrape avant le premier palier et la ceinture dans mes bras. Elle se débat, m'insulte, essaie de me frapper.

— Tu l'auras voulu !

Je lui assène un coup de poing, elle s'effondre à mes pieds, à moitié sonnée. Je soupire.

— Et voilà… Tu vois ce que tu m'obliges à faire ?

Du sang coule de sa bouche, elle gémit de douleur.

J'y suis allé sans retenue. Alors qu'avant, jamais je n'aurais frappé une femme.

Mais les règles ont changé.

J'en ai appris de nouvelles.

Je la relève de force et l'entraîne vers la sortie. Contrarié, je ne prononce plus un mot. Je lui ai réservé un traitement de faveur et voilà comment elle me remercie ?

Nous contournons le château, descendons vers les anciennes écuries. D'un coup de pied rageur, j'ouvre la porte en bois et la pousse à l'intérieur. Elle atterrit brutalement sur le sol en terre battue tandis que je referme, à double tour cette fois. Je glisse la grosse clef au fond de ma poche et attrape de nouveau ma prisonnière par le bras.

— Non ! hurle-t-elle.

— C'est marrant, j'ai dit la même chose il y a vingt-cinq ans ! lui dis-je avec un sourire cynique. Mais personne ne m'a écouté...

Nous avançons dans la pénombre vers une nouvelle porte. Celle qui communique avec la cave, sorte d'oubliettes modernes.

Enfin, nous sommes arrivés.

Là, sous le château.

Là, où personne ne peut nous entendre ou nous voir.

Il y avait ceux qui avaient cédé à la folie. Qui avaient laissé leur esprit glisser vers des mondes meilleurs. Des mondes imaginaires, sans doute moins sordides que la réalité.

Ceux qui n'avaient pas prononcé un mot depuis des mois, voire des années. Et qui se balançaient, d'avant en arrière, assis sur le bord de leur lit.

Il y avait ceux qui pleuraient chaque soir, chaque nuit.

Alors que d'autres écrivaient leurs sombres Mémoires.

Il y avait ceux que plus rien ne semblait atteindre.

Ceux qui faisaient pitié et ceux qui l'avaient oubliée.

Il y avait ceux qui défiaient le destin, qui parlaient d'avenir alors qu'ils n'en avaient plus.

Ceux qui évoquaient sans cesse le passé.

Ceux qui s'étaient adaptés, semblaient être chez eux. Résignés, peut-être.

Ceux qui tournaient en rond et ceux qui ne bougeaient plus.

*Il y avait ceux qui parvenaient encore à rêver.
À rire. À espérer.
Et puis, il y avait moi.*

Avec la manche de son pull, Sophie essuie le sang qui a coulé sur sa bouche. Je la tiens toujours fermement par le bras tandis que j'appuie sur l'interrupteur.

Alors, ses yeux s'arrondissent démesurément. Ses lèvres s'entrouvrent, mais elle ne dit rien. Je m'amuse de la stupeur qui déforme son visage délicat.

En face de nous, la cage.

Celle que j'ai patiemment construite. Barreaux épais, profondément enfoncés dans le sol et qui se dressent jusqu'au plafond.

Serrure inviolable doublée d'un cadenas.

Parce que j'ai appris la prudence.

*La peur précède la douleur.
Quand on sait qu'on n'échappera pas au supplice.
Les coups, ce n'est rien. Ce qui vient après est bien pire.
La douleur, oui. Et l'humiliation.
L'impression de n'être plus rien.
Ce sentiment de solitude absolue. D'injustice totale.
Tout ce que je ne pourrai jamais oublier.*

J'ouvre la porte et jette Sophie dans la cage.

Au milieu des autres.

Elle reste debout, effarée, son regard allant d'un visage à l'autre.

— Surprise ? dis-je avec un horrible sourire.

Autour d'elle, ils sont neuf.

— Tu es la dixième, madame le juge, ajouté-je.

Certains sont là depuis plusieurs semaines. D'autres, depuis quelques jours. Et Patricia Vernet est arrivée cette nuit. Pourtant, elle semble déjà épuisée.

Au milieu de la cage, un seau avec un couvercle. Partout, des restes de nourriture qui pourrissent à même le sol.

L'odeur est difficile à supporter.

Mais j'ai appris à supporter bien pire.

— Tu vois, Sophie, dis-je en m'approchant des barreaux, tu as eu de la chance. Tu es la dernière à entrer dans la cage… Je t'ai réservé un traitement particulier.

Elle me considère, ébahie.

— Tu pourrais me remercier, non ?

Lorsque j'ai rencontré Sophie, elle était jeune, fraîchement sortie de l'école de la magistrature. J'étais une de ses premières affaires criminelles. Sa première grosse affaire.

Grâce à moi, elle a fait ses armes, s'est construit une réputation.

Grâce à moi, elle est devenue importante.

Elle est intelligente, la juge. Intelligente et ambitieuse.

D'ailleurs, aujourd'hui, elle n'est plus juge d'instruction, mais Présidente de Cour d'Appel. Belle promotion à laquelle je ne suis pas étranger.

Je m'éloigne de la cage et passe dans l'autre partie de la cave. Il me reste du travail si je veux que tout soit terminé ce soir.

Je récupère l'estrade de fortune que j'ai confectionnée avec des planches en bois.

Déjà six mois que je travaille d'arrache-pied.

Six mois que je tisse ma toile.

D'abord, trouver l'endroit idéal. C'est sur le Net que je l'ai déniché. Ce magnifique château que j'ai loué pour une année entière. Belle bâtisse, parfaitement isolée, perdue en pleine forêt. Mes seuls voisins sont les chevreuils et les sangliers.

Ensuite, il a fallu aménager le sous-sol, construire la cage.

Après le décor, il fallait les acteurs. J'ai dû m'armer de patience pour kidnapper l'un après l'autre les comédiens de ma tragédie.

Je n'ai malheureusement pas pu tous les réunir. Certains sont déjà morts, d'autres partis à l'étranger, trop loin pour que j'aille les récupérer.

Mais peu importe.

Je suis arrivé au but que je m'étais fixé.

Aujourd'hui, j'ai un anniversaire à célébrer.

Et il sera inoubliable.

Elle germe doucement. Prenant racine dans la peur, le désespoir et la douleur.

Chaque jour, elle grandit, s'épanouit en vous, diffusant lentement le poison dans vos veines et jusque dans vos muscles. Elle agite vos nerfs, gangrène votre cerveau.

Bientôt, elle vous envahit totalement, tel un liquide glacial. Elle devient votre unique sentiment, votre seule raison de vivre.

Votre obsession.

Elle vous assèche, vous ôtant jusqu'à la dernière miette de compassion ou d'empathie.

Mais elle vous donne une force aussi inestimable qu'inespérée.

La haine.

Elle déborde de mes yeux au moment où je m'approche de la cage. Le silence se fait, les murmures se tarissent. Mes prisonniers sont tous assis au fond et me regardent, essayant de sonder mon âme.

Je sors le revolver de ma poche, m'amuse à faire glisser le canon sur les barreaux.

Un bruit insupportable.

— À qui le tour ? dis-je.

Les respirations s'accélèrent.

— Pas de volontaire ?! Hum... alors, c'est moi qui vais choisir.

Les respirations s'arrêtent.

— Je plaisante, allons ! dis-je en riant.

Ils se détendent légèrement, alors j'ajoute :

— Tout le monde va y passer, de toute façon.

Je m'écarte d'eux un instant et enfile la robe noire. Puis je vais m'asseoir sur l'estrade, derrière le vieux bureau en bois que j'ai déniché dans l'une des chambres du château.

Je regarde mes proies un instant, avant d'ajouter :

— Accusés, levez-vous !

Personne ne réagit, je suis obligé de brandir mon arme.

— Debout !

L'un après l'autre, les prisonniers se relèvent enfin.

— Vous resterez debout dans le box des accusés durant tout le procès... Bien, nous pouvons commencer !

À mon tour, je quitte ma chaise pour les dominer de toute ma hauteur.

J'ai oublié l'odeur pestilentielle, j'ai oublié la détresse sur chacun de ces visages. Je ne vois plus que des coupables.

Des ennemis.

— Voici ce que la Cour vous reproche, continué-je. Il y a précisément vingt-cinq ans, jour pour jour, vous tous ici présents m'avez condamné à la réclusion criminelle à perpétuité, pour l'assassinat d'une jeune fille qui s'appelait Mathilde…

Je mets les mains derrière le dos, fais quelques pas.

— Cette gamine, c'est moi qui l'ai retrouvée morte, dans un terrain vague près de chez moi.

Je relève la tête vers eux, tandis que je sens la colère monter en moi.

— Mais tout cela, vous vous en souvenez sans doute… Et il a fallu que j'attende vingt longues années pour qu'un flic s'aperçoive qu'un tueur d'enfants rodait dans les parages au moment de la mort de Mathilde. Et que j'attende deux ans de plus pour qu'on retrouve son ADN sur les vêtements de cette pauvre gamine et qu'on daigne me rejuger !

Dans la cage, le silence est total.

— Il a fallu que je passe vingt-deux ans en taule pour qu'on s'aperçoive enfin que je n'avais pas tué Mathilde !

Je viens de hurler, j'essaie de me calmer avant de continuer.

— Je ne suis pour rien dans votre condamnation ! lance soudain une voix masculine.

— Monsieur Vautier, la Cour ne vous a pas autorisé à parler, il me semble…

— Mais…

— Ta gueule. Si tu m'interromps encore, je te descends. C'est clair ?

Il se tait enfin et je reprends.

— Vous m'avez condamné sans aucune preuve matérielle. Seulement sur la base de mes aveux.

Je reviens me coller à la cage.

— Aveux qui m'ont été extorqués par la force, après plus de quarante-huit heures de torture mentale et physique... N'est-ce pas, capitaine Georges ?

Un homme, d'une soixantaine d'années, baisse la tête.

— Regarde-moi quand je te parle, espèce de salopard ! hurlé-je.

Il obéit, passe une main dans ses cheveux collés.

— Des heures sans dormir, sans manger, sans boire... Des heures et des heures d'interrogatoire ! Et les coups... Ceux qui ne laissent pas trop de traces, hein capitaine ? Frapper les suspects et les faire craquer, c'est bien ta spécialité, non ?

Plusieurs visages se tournent vers lui, qui baisse à nouveau les yeux.

— J'avais des raisons de croire que vous étiez coupable, murmure-t-il.

— Pardon ? Parle plus fort, que tout le monde t'entende !

Il répète, d'une voix à peine audible.

— Quelles raisons ?

— Vous... Vous étiez violent, emporté, vous consommiez de la drogue...

— Profil parfait d'un meurtrier, t'as raison. Tu voulais surtout boucler l'affaire au plus vite, pauvre con ! Et tu avais sous la main un jeune homme d'à peine dix-neuf ans qui se demandait ce qui lui arrivait ! Un jeune homme fragile et perturbé. C'était une aubaine, hein capitaine ?

L'ancien gendarme ne sait plus quoi dire. Il s'adosse aux barreaux, prend sa tête entre ses mains. Je remonte sur l'estrade, me rassois derrière le bureau et allume une cigarette.

— Après toi, capitaine, j'ai rencontré la charmante Sophie Gillet, ici présente, à l'époque jeune juge d'instruction... Ah, Sophie, ma chère Sophie...

Elle lève les yeux vers moi.

— Tu as pris du galon ! Félicitations... Et je crois que je ne suis pas étranger à ta promotion, non ?

— Ça n'a rien à voir ! jure-t-elle avec emphase.

— Vraiment ? Pourtant, j'ai été ta première grosse affaire criminelle, celle qui t'a permis de te faire les dents et une belle réputation, pas vrai ?

Elle nie, d'un signe de la tête.

— Je me souviens t'avoir répété des dizaines et des dizaines de fois que j'étais innocent... T'avoir raconté comment les flics m'avaient forcé à avouer... Mais tu ne m'écoutais pas. Tu ne m'écoutais jamais.

— Je n'ai fait que mon travail !

— *Ton travail ?*

Je redescends de mon estrade, sans aucune hâte.

— Tu n'as rien fait du tout, à part m'enfoncer la tête sous l'eau. Tu es sans doute la plus mauvaise juge de ce pays ! Combien d'innocents as-tu envoyé en taule, hein ?

Ses mâchoires se crispent, ses poings se serrent.

— Allez, Sophie, dis-le... À ton avis, combien d'innocents croupissent en cabane par ta faute ?

Je souris, m'avance vers elle. Des barreaux infranchissables nous séparent.

Vingt-cinq années de souffrance nous rapprochent.

Je parviens à saisir son poignet, l'attire vers moi. Elle résiste mais je suis le plus fort. De mon autre main, je caresse son cou, son visage. Ce visage qui m'a obsédé, des années durant. Sans que je sache vraiment pourquoi.

Je vois ses joues s'empourprer, je jubile de l'humiliation que je lui inflige.

Alors, je tourne la tête vers l'ancien président de la Cour d'Assises.

— À toi, monsieur le juge…

François Lambert déglutit bruyamment et serre l'un des barreaux dans sa main droite.

— Je me souviens avec précision de la manière dont tu as mené les débats. Et j'imagine sans peine les méthodes qui ont été les tiennes pour influencer les jurés…

— Absolument pas ! se défend-il. Ils ont décidé en leur âme et conscience.

— Ben voyons…

Je reprends place derrière mon bureau et fais une courte pause.

— Inutile que je m'attarde sur toi. Nous allons maintenant étudier le cas de M. Rouve, le procureur général qui a pris sa retraite il y a une dizaine d'années…

Le vieil homme, très digne malgré ses vêtements sales, lève la main. Surpris, je lui souris.

— Vous voulez prendre la parole, peut-être ?

Il hoche la tête.

— Allez-y.

— Nous avons tous agi comme nous le devions. Nous n'avons rien à nous reprocher. La justice n'est pas une science exacte, monsieur.

Je prends une mine désolée.

— N'aggravez pas votre cas, monsieur le procureur…

— Vous avez été dédommagé après votre libération ! rappelle-t-il. L'État vous a versé une somme conséquente.

Soudain, je me lève, attrape mon revolver et me précipite vers la cage. Tout le monde recule sauf le vieux.

— *Une somme conséquente ?* Tu crois que le fric peut effacer tout ce que j'ai subi en taule ?!

Je pointe l'arme sur sa tête, il ne bouge pas.

— D'ailleurs, t'es-tu demandé une seule fois ce que j'ai eu à subir en prison ?

— Ce sont des choses qui arrivent, malheureusement.

Il a dit ça sans aucune compassion.

— Ferme ta gueule ou je te descends.

Il consent à se taire, mais continue à me défier du regard. Je fais demi-tour, remonte lentement sur mon perchoir.

— Demande donc à l'ordure qui est à côté de toi ce que j'ai subi !

L'ancien procureur général tourne la tête vers Michel Vautier, comme s'il lui cédait la parole.

— À ton tour, Vautier !

Le surveillant en chef me fixe d'un air absent. Deux semaines qu'il pourrit dans cette cage. Après avoir passé sa vie en prison, le voilà de nouveau enfermé. La vie est cruelle.

Mais pas autant que lui.

— J'aurais voulu que tu ne sois pas le seul gardien dans cette cage, mais c'était trop compliqué d'aller chercher les autres… Tes complices.

Vautier ne réagit pas, il frotte ses mains l'une contre l'autre, regarde ses pieds.

— Je veux que tu racontes ce qui s'est passé pendant ma détention, ordonné-je.

Il s'éclaircit la voix et se lance :

— Les détenus qui sont condamnés pour avoir tué des enfants et les avoir violés sont mal acceptés par les autres détenus...

Je pars dans un éclat de rire cynique.

— *Mal acceptés ?* Tu te fous de ma gueule ou quoi ?

Il se racle à nouveau la gorge.

— Je veux dire qu'ils subissent des choses...

— Quelles choses ?

Gêné, Vautier danse d'un pied sur l'autre.

— Ils sont souvent malmenés par les autres et...

— *Malmenés ?* hurlé-je.

— Je veux dire qu'ils sont frappés et...

— Roués de coups, plutôt ! J'ai été roué de coups tant de fois que je ne m'en souviens plus !

Je sens que je dérape, j'essaie de me reprendre.

— Continue, dis-je.

— Je sais que vous avez été frappé à plusieurs reprises et que vous avez été... agressé.

— Sois plus précis !

— Violé. Vous avez été violé.

— Et qu'as-tu fait pour empêcher cela ? demandé-je d'une voix dure.

— R... Rien. Je n'ai rien fait.

— Parce que tu trouvais ça normal ?

— Je sais pas... Peut-être, avoue-t-il.

— Combien de fois ai-je fini à l'infirmerie ?

— Je... Je ne sais plus.

Je reviens vers la cage, armé de mon revolver.

Je passe un bras entre deux barreaux, attrape Vautier par les cheveux, le colle brutalement contre la frontière en acier.

— Combien de fois ?

— Je ne m'en souviens plus ! hurle-t-il.

— Onze fois, dis-je. Onze fois…

Je le pousse avec force, le projetant sur le sol. Personne ne l'aide à se relever. Je les observe, tour à tour, les regardant avec tout le mépris dont je suis capable. Puis je remonte sur mon piédestal. J'essaie de repousser les émotions contradictoires qui m'envahissent.

J'essaie de rester froid.

— Les seuls coupables ici, c'est vous, dis-je. Vous tous ! Moi, j'étais innocent et vous avez brisé ma vie.

Je suis sur le point de pleurer.

J'ignorais que je le pouvais encore.

— Je suis désolée…

Je relève la tête, cherchant qui a prononcé ces mots.

— Je suis désolée, répète Patricia Vernet. Quand j'ai été désignée comme jurée, j'étais très jeune, rappelle-t-elle. J'avais des doutes sur votre culpabilité mais tout ce qui a été dit durant ce procès m'a poussée à voter pour la peine la plus lourde… Mais depuis que je sais que ce n'est pas vous qui avez tué Mathilde, j'y pense sans cesse.

Je la regarde, surpris.

Touché, même si je m'en défends.

— Et je suis désolée que vous ayez eu à subir tout cela, ajoute-t-elle.

— Tu veux sauver ta peau, c'est ça ?

— Non… Je crois que vous allez tous nous tuer.

Je crois que je peux le comprendre. Comprendre votre colère, votre haine… Mais nous tuer ne changera rien, vous savez.

J'allume une cigarette et me penche en arrière. Les minutes passent, silencieuses et pesantes.

Je considère mon public. Dix personnes apeurées.

Je prends tout mon temps pour observer l'un après l'autre ces visages fatigués, marqués, souffrants.

Je devine les prières récitées en silence. Je devine les espoirs et les peurs.

Je sens peser sur moi ces regards qui implorent ma pitié ou mon pardon.

— Passons au verdict, dis-je soudain.

Je me lève, jette ma cigarette sur le sol.

— Pour avoir contribué à condamner ou pour avoir condamné un innocent à la réclusion criminelle à perpétuité… Pour n'avoir rien fait pour stopper les crimes dont il a été la victime pendant son incarcération, je vous déclare coupables.

Une femme âgée, jurée lors de mon procès, éclate soudain en sanglots.

Je sens que ma voix hésite, je me reprends bien vite.

— Et je vous condamne à mort.

Je descends de l'estrade, m'arrête devant la cage.

— Nous, nous ne vous avons pas condamné à mort, me dit le vieux procureur général.

— C'est exact. Mais si mon procès avait eu lieu dix ans plus tôt, vous m'auriez envoyé direct à l'échafaud… Vrai ou faux ?

L'ancien magistrat ne dit rien.

— S'il vous plaît ! implore Patricia Vernet. Laissez-nous sortir d'ici !

Elle lit dans mes yeux que ses suppliques sont vaines. Qu'elle perd le peu de forces qu'il lui reste.

— J'ai loué ce château pour un an, continué-je. Cette propriété est inviolable et personne ne pourra vous trouver. Vous allez tous mourir ici. De faim, de soif ou de peur. On vous retrouvera dans environ six mois, en état de décomposition avancée.

Le gardien-chef se met à pleurer à son tour.

— Vous allez savoir ce que ça fait d'appeler au secours sans que personne ne vous entende.

Je voudrais sourire mais n'y parviens pas. En ce moment crucial, je ne ressens pas le plaisir escompté.

Je hais tous ceux qui sont enfermés dans cette cage. Pourtant, quelque chose résonne en moi. Une voix, de plus en plus nette.

Qu'aurais-je fait à leur place ?

Je parle des jurés. Des cinq jurés ici présents.

Oui, qu'aurais-je fait à leur place ? Aurais-je été meilleur qu'eux ?

Je secoue la tête, m'éloigne doucement.

— Salaud !

Je me retourne. Sophie est accrochée aux barreaux, les yeux exorbités.

— Assassin !

Je parviens enfin à sourire.

— Cette fois-ci, tu peux le dire. Parce que c'est vrai. Mais j'ai déjà payé pour ce crime…

— J'ai deux enfants ! intervient Patricia. La plus jeune a dix ans…

— Ils apprendront à vivre sans vous.

Le toubib baisse la tête, vaincue. Je pose le doigt sur l'interrupteur et me ravise.

— Je vous laisse la lumière, dis-je. Comme ça, vous vous verrez mourir l'un après l'autre.

Je claque la porte, donne un tour de clef. J'entends encore des voix me supplier de revenir en arrière tandis que je traverse les immenses écuries où sont stationnées les voitures de mes prisonniers. Puis je ferme les deux battants à clef. D'ici on ne peut plus les entendre crier. Ça me rassure.

J'ajoute un énorme cadenas au cas où quelqu'un parviendrait à passer par-dessus la clôture.

Ils m'ont jeté en pâture aux fauves. Appétit insatiable. Cruauté sans égale.

Sans défense, j'ai subi le pire.

L'irréparable.

J'aurais préféré qu'on me tue, qu'on m'achève.

J'aurais préféré ne jamais connaître la vie plutôt que de connaître ça.

J'aurais voulu que quelqu'un entende mes cris.

Que quelqu'un me réponde.

Je ne savais pas que ça existait. Que ça pouvait m'arriver.

Qu'une vie peut basculer, d'une minute à l'autre. Juste parce qu'on croise le chemin de l'horreur.

Ma vie est devenue un long tunnel, une obscurité totale, un manque d'espoir.

Ma vie est devenue une succession d'atrocités.

Ma vie est finie.

J'ai réuni mes affaires dans une petite valise, je descends dans le grand hall. Une dernière fois, je regarde ces murs, ces plafonds. Cette demeure qui aura été le théâtre de ma dernière résurrection.

De l'ultime tragédie.

Puis je ferme tout et place mon bagage dans le coffre de la voiture.

Je jette un coup d'œil vers la porte des écuries et j'ai l'impression d'entendre les cris, les prières.

Pourtant, il n'y a aucun bruit.

Lorsque le portail se referme derrière moi, une blessure s'ouvre dans mon ventre.

Qui jamais ne se refermera, je le sais.

Pendant des années, j'ai rêvé de ce moment. C'était mon seul point d'accroche, la seule raison de ne pas me trancher les veines. Tapi dans l'ombre d'une cellule, j'attendais cet instant. Je ne vivais que pour lui.

Mais les phantasmes ne sont pas faits pour être réalisés. J'aurais dû le savoir.

J'ai activé mon GPS pour ne pas perdre de temps et quitter ce pays au plus vite. J'ai encore un peu d'argent. Mon *dédommagement*. Ça devrait me suffire à vivre correctement là où je vais.

Loin, très loin.

Repartir de zéro. Je sais que c'est impossible.

Impossible, avec dix morts sur la conscience.

Qu'aurais-je fait à leur place ?

Jusqu'à présent, j'étais innocent. La culpabilité, je ne l'avais jamais connue. Au fil des kilomètres, elle grandit en moi, bouscule mes organes pour faire sa place.

Énorme boule au ventre.

Je m'arrête dans un bistrot, je bois un café et remonte dans ma voiture. C'est en voyant un petit garçon qui traverse la place du village que je prends ma décision.

En vérité, je l'avais prise depuis longtemps même si je n'avais pas voulu me l'avouer.

Dès que j'aurai mis le pied en Afrique, j'appellerai les gendarmes. Je leur donnerai l'adresse du château.

Ce sera dans trois jours, au plus tard.

Ils seront sans doute encore en vie.

Cette décision me soulage d'une façon inattendue.

Je ne le savais pas, mais en enfer, j'ai aussi appris à pardonner.

Le soleil décline, le ciel prend la couleur du sang.

Je ne suis pas un assassin, je n'y peux rien.

J'essaie de me dire qu'ils auront payé. Même si je sais que cela n'a aucun sens.

Qu'aurais-je fait à leur place ? Aurais-je été meilleur qu'eux ?

Oui, je crois. Je m'en persuade, kilomètre après kilomètre. Parce que c'est tout ce qu'il me reste.

Je pleure à chaudes larmes, maintenant. Ce n'est rien, seulement le soleil couchant qui me brûle les yeux.

Je me penche pour récupérer mes lunettes de soleil dans la boîte à gants.

La voiture part légèrement à gauche.

Quand je relève la tête, je vois le camion.

C'est la dernière chose que je vois.

Après, plus rien.

Alexandra LAPIERRE

Tu mens, ma fille !

Allongée dans l'alcôve de sa chambre parisienne, l'extravagante baronne Irina Dalimescu ne trouvait plus le sommeil. Son heure de sieste lui était cependant précieuse, pour ne pas dire sacrée : le moment magique qui lui permettrait de faire bonne figure le reste de la journée, et de paraître au dîner. Elle le prendrait, certes, dans la cuisine avec son mari cacochyme. Mais habillée, coiffée et fardée.

La belle apparence n'exprimait-elle pas le fond des choses ?

À sa petite-fille, Marie, qui lui demandait sa philosophie de l'existence et l'interrogeait sur ce qu'elle considérait comme le plus important, Irina ne transmettait qu'une morale : « N'oublie pas de te démaquiller chaque soir... Essentiel pour l'élasticité de ta peau et la fraîcheur de ton teint. » S'ensuivait un cours sur les mérites comparés de la crème Clinique ou du lait Lancôme, du Tonique Douceur ou du Tonique Radiance... Le testament d'une femme qui se flattait d'avoir su conserver son goût de la vie, son énergie et son éclat. Bref, la jeunesse éternelle.

En fait de jeunesse, Irina commençait à se sentir fatiguée. La fatigue... Le mal qu'elle combattait de toutes ses forces. Ah, elle pouvait être fière de sa pugnacité. Quand elle songeait à son âge... Chapeau bas !

Pour s'assoupir, elle avait toujours recours à la même image, celle des petites flammes, chaque année plus nombreuses, sur son gâteau d'anniversaire. Leurs lueurs vacillantes dégelaient ses vieux os et détendaient ses nerfs, lui causant – à l'avance et *a posteriori* – un bien-être physique qui valait tous les somnifères.

Cependant, en cet après-midi d'automne 2016, la vision de ses bougies ne lui causait plus aucun plaisir. En vérité « le truc » des bougies ne marchait plus. Et pour cause ! La perspective de la fête qui se préparait en son honneur l'exaspérait. Une petite fête minable, sans commune mesure avec l'importance de l'événement.

L'événement de ce mois ? Son anniversaire, comme tous les 14 novembre. Mais pas n'importe lequel : en ce jour de l'an de grâce 2016, elle fêterait ses cent ans.

Et nul parmi ses descendants ne prendrait la mesure de cet exploit !

Tout de même... Elle était incroyable. Une centenaire.

Et nul parmi ses descendants ne lui rendrait cette justice ? L'idée la rendait positivement malade.

Tout de même ! Qui pouvait se vanter d'avoir gardé – à cent ans – cette allure folle ? Ce corps mince et nerveux, qu'aucune ostéoporose ne courbait ? Ces épais cheveux de neige ? Et ces chevilles fines, ces poignets minuscules qui n'évoquaient en rien la fragilité de la vieillesse ? Aucune enflure nulle part. Ni dans les jambes ni ailleurs.

Certes, certes, la pâleur de ses yeux bleus dénonçait une cataracte avancée et leur trouble révélait une myopie gigantesque. Certes, certes, sa démarche hésitante, et surtout sa canne, proclamaient sa faiblesse.

Mais tout de même : cent ans !

Et les autres, tous les autres, l'ignoreraient. Même le général, son troisième mari, qui se croyait un monument de puissance du haut de ses quatre-vingt-six ans. Pauvre cher, pauvre vieux Bernard ! Quand elle songeait que le jour de leur mariage, il l'avait prise pour une femme d'un an plus jeune que lui, ainsi que les conventions de son milieu l'exigeaient. Alors qu'elle en avait…

Elle n'osait plus calculer, ni même formuler la vérité.

Mais elle savait, elle, que quand Bernard lui souhaiterait son quatre-vingt-sixième automne, elle aurait, en réalité, cent ans.

Oh, se rajeunir n'avait pas été facile ! Et la conquête de quatorze années ne s'était pas faite en un jour.

Cette bataille contre le temps, Irina l'avait gagnée petit à petit, par étapes. Au fil des émigrations, des exils, des voyages et des mariages. Un véritable *grappillage*. Elle avait commencé doucement, et s'était montrée prudente. Une année, puis deux, puis cinq, puis dix. Au bout du compte : quatorze. En vérité, la victoire reposait sur l'aveuglement de l'amour. Sur la naïveté des hommes. Sur la complicité et les atrocités de l'histoire. Oui, oui, Irina pesait ses mots : sur la complicité de l'histoire, la grande Histoire.

En vérité, elle était née le 14 novembre 1916, dans la propriété de son père, Constantin domn Dalimasti, en Roumanie. Et son acte de naissance avait brûlé lors du sac de la ville voisine : en décembre 1916, juste un mois après sa venue au monde. Pendant la *Première* Guerre mondiale, au plus fort des affrontements entre les Austro-Allemands et les Roumains.

Cela, la disparition de son acte de naissance, Bernard et ses deux maris précédents la savaient. Ils avaient dû assez travailler pour lui reconstituer un état civil, en vue de leurs unions respectives.

Sauf qu'eux croyaient que les papiers, de leur malheureuse, de leur merveilleuse Irina avaient brûlés, non pas durant la Première Guerre mondiale, mais au début de la *Seconde*, quand elle avait dix ans.

C'était du moins ce qu'elle leur avait raconté : son identité avait disparu lors du terrible séisme qui avait ravagé la Moldavie en 1940.

Une légère inexactitude.

Car en 1940, Irina Dalimescu n'avait pas dix ans mais… vingt-quatre !

Elle ne leur avait pas menti. Non, non, à ses yeux, il ne s'agissait pas d'un mensonge mais d'un petit accommodement avec des paperasses sans importance.

Honnêtement, elle n'avait jamais été une menteuse. Elle avait eu juste quelques revanches à prendre sur le destin. Et quelques comptes à régler avec ses parents.

Depuis sa toute petite enfance, ils n'avaient pas cessé de répéter qu'elle racontait des craques. Une accusation sans fondement. Mais leurs reproches avaient commencé tôt, et de façon absurde. Pour une bagatelle. Irina s'en souvenait encore. C'était à la veille de son septième anniversaire, le 14 novembre 1923.

Le véritable, celui-là. À l'aube même de son âge de raison.

— Tu mens, ma fille ! s'était exclamée sa mère.

— Vous mentez sans cesse, avait répété en écho sa gouvernante française qui, elle, ne disait que des bobards… Vous mentez comme une malhonnête que vous êtes !

À entendre sa mère, Irina aurait essayé ses escarpins pour le bal – de précieux souliers vernis commandés à Paris – et elle en aurait abîmé les nœuds. L'enfant reconnaissait avoir enfilé les chaussures, mais elle niait les avoir esquintées.

La gouvernante avait alors mené l'enquête.

Qui, parmi la domesticité, avait touché aux chaussures de Madame ? La femme de chambre jurait ses grands dieux : ce n'était pas elle. Ni le majordome ni le cuisinier bien sûr ! Une conclusion s'imposait : la coupable ne pouvait être qu'Irina. Or, la petite fille s'obstinait : oui, elle avait bien essayé les escarpins de sa mère ; mais non, elle ne les avait pas cassés.

— Si tu continues de mentir ainsi, avait tonné le seigneur de Dalimasti, son père, ta naissance ne figurera plus dans la Bible Familiale. Je vais en rayer ton nom. Tu n'appartiendras plus à rien, tu n'existeras plus.

La pression avait duré des jours.

— Tu mens, ma fille ! Tu mens ! Tu mens ! Et si tu ne l'admets pas tout de suite, tu seras privée d'anniversaire.

À quatre-vingt-treize années de distance, Irina ressentait encore ces attaques comme la plus grande injustice de sa vie. Elle avait dit la vérité : elle en avait été punie. Le jour de ses sept ans, on l'avait enfermée dans sa chambre. Sans cadeaux, sans bougies et sans gâteau.

Ses parents avaient poussé le châtiment jusqu'à ne pas décommander la fête. Ils avaient laissé la famille et les amis venir jusqu'au manoir, pénétrer dans le hall, se débarrasser de leurs manteaux, afin qu'elle entende leurs voix. Et qu'elle entende aussi celle de sa mère qui leur expliquait la raison de son absence : Irina était une menteuse. En conséquence, ils devaient repartir avec leurs présents, les poupées et les bonbons qu'elle ne méritait pas.

Seul le frère de son père, le magnifique oncle Carol, lui avait témoigné un peu de sympathie. Brisant la consigne d'isolement, il était monté la voir : « Ne t'en fais pas, Irina, tu as toute la vie devant toi ! Et d'ici à tes cent ans, tu célébreras bien d'autres anniversaires. Alors, tu recevras des monceaux de cadeaux. Et tu souffleras des milliers de bougies. »

Irina s'était juré de lui donner raison : à l'avenir, on lui fêterait son jour de naissance de façon grandiose.

Le problème s'était toutefois compliqué quand elle avait commencé à se rajeunir.

D'où lui était venu ce besoin ? Mystère. Peut-être du principe qui résumait sa philosophie : *Mieux vaut faire envie que pitié*. Ou bien de son autre adage : *On ne prête qu'aux riches* ?

Quoi qu'il en soit, Irina était amoureuse des choses visibles. Et le regard du monde pesait si lourd, il revêtait pour elle une telle importance, qu'elle ne doutait pas que les jeunes, et tous les êtres moins âgés qu'elle, l'auraient perçu – eussent-ils connu son âge véritable – comme *une vioque*. Elle ne doutait pas non plus que, vue sous cet angle-là, elle serait devenue dans la seconde une vieille femme.

Certes, l'idée d'être démasquée la pétrifiait. L'humiliation aurait été terrible. Une honte dont elle ne se serait jamais relevée... Bah, aucun risque ! Au fil du temps, elle avait développé une habileté de faussaire pour falsifier les années et transformer les chiffres sur sa carte d'identité : le 1 en 3 et le 6 en 0. Un jeu d'enfant, que lui avait facilité la disparition initiale de ses papiers. Seul élément immuable de son calendrier : le 14 novembre. Et gare à celui qui oublierait cette date-là. Et gare aussi à celui qui ne lui porterait pas, en ce jour, ses vœux et ses hommages. Et gare encore à celui qui la traiterait de menteuse. Chez elle, le mot était devenu tabou.

Résultat : alors qu'elle allait avoir cent ans, sa fille, son mari et tous ces proches lui concocteraient un petit gâteau, un petit dîner, une petite fête sans intérêt. Un banal quatre-vingt-sixième anniversaire.

Et cette idée la rendait folle.

Allons Irina, du courage ! Assume leur ignorance, à ces ingénus. Tu l'as voulue, tu l'as eue. Et tu t'en tires très bien... Tu n'as pas eu besoin, toi, de te faire tirer. Pas de lifting. Pas de botox. Au contraire de tes amies qui ont dû passer vingt fois sur le billard pour tromper leur monde.

Que demander de plus ?

Tu as été adulée par des hommes jeunes, tous vigoureux et séduisants. Tu les as aimés sans complexes. Et quand tu as choisi de faire une fin en te mariant... tes trois époux eurent, quoi ? Combien d'années de moins que toi ? Le seul survivant, le pauvre cher Bernard : quatorze ans. Les autres, au moins vingt. Tes amants, on n'en parle même pas.

Et maintenant ?

Comment se débrouiller pour faire passer l'information ? Comment révéler à Bernard qu'elle le coiffait au poteau ? Qu'elle atteignait le siècle quatorze ans avant lui ? Et comment transmettre la nouvelle au reste de la famille ?

Par Marie, sa petite-fille ? Pourquoi pas ? Marie l'adorait. Et la passion était réciproque. Oui, parler à Marie : pas bête.

Irina lui dirait la vérité, à elle. Et Marie préviendrait sa mère.

En songeant à Anne-Cécile – la fille unique, qu'elle avait eue avec feu son second mari – Irina se disait qu'elle ferait le nécessaire. Anne-Cécile pouvait bien être radine, elle respecterait les usages et donnerait une grande fête. Henri – le gendre si conventionnel d'Irina – râlerait, mais s'inclinerait devant la grandeur des circonstances. Et même ce pauvre vieux Bernard, en dépit de ses nombreuses insuffisances, même lui chercherait encore à lui faire plaisir. Tous ne pourraient qu'acquiescer... Lui offrir ce bal dont elle rêvait : cent invités, cent bougies, cent gâteaux : une pièce montée somptueuse digne d'une centenaire somptueuse !

★
★ ★

— Vous savez ce que Granny m'a dit ? Qu'elle va avoir cent ans !

— Ne raconte pas n'importe quoi, Marie.

En cette mi-novembre 2016, dans le salon bourgeois de son appartement du XVIe arrondissement, Mme Bignon – née Anne-Cécile de Chaumency – mettait le couvert pour cinq personnes et comptait les bougies qu'elle planterait dans la tarte du lendemain. Elle préparait l'anniversaire de sa mère, chez elle, avec la famille proche.

Bien qu'on eût sorti l'argenterie et la nappe des grands jours, on ne mettrait pas, cette fois, les petits plats dans les grands. Le cocktail pour les quatre-vingt-cinq ans de l'aïeule avait coûté assez cher l'année dernière. Une fois tous les cinq ans suffisait.

Mais depuis le début des préparatifs, Marie s'obstinait à répéter que le compte n'était pas bon, que sa grand-mère ne voulait pas quatre-vingt-six bougies mais cent.

— Je vous jure ! Elle dit qu'elle est née en 1916. Elle va avoir cent ans.

Son père haussa les épaules.

— Ta Granny est devenue complètement gâteuse.

— Maman perd un peu la boule, opina Anne-Cécile. Ce n'est pas la première fois que je m'en aperçois. Et cela m'inquiète ! Elle commence à tout confondre… Le jour, la nuit, les lieux, les dates.

— Elle connaît quand même sa date de naissance ! insista Marie.

— Et moi je connais la mienne, répondit sa mère sèchement. En 1955, à ma naissance, Maman avait vingt-cinq ans. Si elle était née durant la Première

Guerre mondiale, en 1916 comme elle te l'affirme, elle m'aurait eu à trente-neuf !

— Et certainement pas avec ton père, ironisa Henri, le gendre d'Irina.

Cette phrase, d'apparence anodine, dérangea Anne-Cécile.

L'idée l'avait effleurée plusieurs fois. Mariée ou non, sa mère avait eu tant d'amants. Et la chronologie des amours d'Irina restait floue. Tout son passé même était trouble.

Quand Anne-Cécile avait tenté de l'interroger sur l'histoire de leur famille, sur sa jeunesse en Moldavie, sur son émigration en Allemagne ou sur son exil en Angleterre, elle lui avait raconté mille versions contradictoires. Manifestement Irina brouillait les pistes. Et Anne-Cécile – redoutant l'existence d'un secret honteux –, avait préféré ne pas pousser l'investigation plus loin.

— Alors pour son anniversaire demain… Qu'est-ce qu'on fait ?, demanda Marie.

— Rien. On lui fête ses quatre-vingt-six ans.

— Mais, la pauvre… Si elle a vraiment cent ans ?

★
★ ★

En cette veille du 14 novembre 2016, c'était au tour d'Anne-Cécile de ne plus trouver le sommeil. Et si Irina était vraiment née en 1916 ? Si elle devenait en effet centenaire, demain ?

Impossible !

Une sourde colère à l'égard de cette mère que tout le monde trouvait *exquise* commençait à l'agiter. Une colère qui s'ajoutait à tant d'autres.

« Maman n'a jamais fait que cela : chercher à attirer l'attention sur elle. Elle veut la lumière, les projecteurs, les feux de la rampe. À n'importe quel prix. Fut-ce en se prétendant encore plus vieille qu'elle ne l'est. Du cirque. Du théâtre. De la comédie... Mensonges, mensonges, mensonges : toujours des mensonges ! »

Anne-Cécile tenta de prendre du recul, de raisonner et de voir sa mère telle qu'elle était. Mais comment ?

« Maman ne respecte jamais les faits, elle triche sans cesse. Certes, elle reste éloquente et pleine de charme. Mais sans scrupule. Une manipulatrice totalement dépourvue du moindre sens moral. Et maintenant elle raconte des bobards aussi gros qu'elle. »

Cent ans ? Allons donc !

« À moins qu'elle ne soit devenue sénile. Oui, ce doit être cela car, coquette comme elle l'est, elle ne se serait jamais vieillie pour le plaisir. Gâteuse... Les prémices d'Alzheimer.

« On ne doit surtout pas entrer dans son jeu. La maintenir dans la réalité, au contraire. Demain on lui fêtera ses quatre-vingt-six ans et on l'obligera à compter ses quatre-vingt-six bougies. »

★
★ ★

Les salauds ! Le regard d'Irina allait de l'un à l'autre. Son mari. Son gendre. Sa fille. Sa petite-fille. Pas un convive de plus.

En informant Marie de l'importance de la date de ce soir, elle n'avait pas douté que la famille donnerait suite et que chacun s'emploierait à lui préparer une surprise grandiose.

Mais non. Rien.

Certes, à son âge, les galants se faisaient rares. Et ses amies tombaient comme des mouches. Toutes mortes, déjà.

Au fond, qu'elle fêtât ses quatre-vingt-six ou ses cent ans aujourd'hui, ne changeait rien à l'affaire : le monde, son monde, avait disparu. Dans ce désert, dans ce cimetière, elle était la seule survivante. Quoique... On aurait pu inviter... Irina dressait mentalement la liste de ses relations et de celles de sa fille.

Bien que Anne-Cécile fût une cruche, ennuyeuse, sèche, et snob, elle connaissait beaucoup de gens. En vérité, Henri, son époux – le gendre d'Irina – côtoyait la terre entière. Quant à son propre mari, le pauvre cher Bernard, il était pourvu de très nombreux neveux et nièces. Il restait en outre l'un des piliers de plusieurs conseils d'administration... Pour ce qui touchait à la jeune génération : pourquoi n'avoir pas fait signe aux copines de Marie, à son amoureux et à leur petite bande ? La jeunesse l'adorait. Elle-même l'aimait tant. On aurait pu rassembler ici, autour d'elle, les hommes et les femmes qui faisaient la France !

Au lieu de cela : un dîner d'enterrement.

Elle parvint à contrôler ses nerfs et à cacher sa déception. Jusqu'au dessert. Mais lorsqu'elle vit Marie entrer dans le salon avec une minable tarte piquée des bougies de l'année dernière, elle n'y tint plus. Et lorsqu'ils se mirent à chanter *Happy Birthday to you*, elle recula son siège, repoussa le gâteau et lança :

— Je ne soufflerai pas ces bougies.

— Quatre-vingt-six ans, Maman, ça se fête !

— Sur quel ton faut-il te le répéter, Anne-Cécile ? J'ai cent ans aujourd'hui ! Marie te l'a dit.

— Calme-toi, Maman. Souffle donc tes bougies avant que les flammes ne s'éteignent. Et si tu en laisses une, ça porte malheur.

Malheur : ce mot provoqua une explosion :

— J'ai cent ans ! J'ai cent ans ! J'ai cent ans ! Je sais que Marie vous l'a dit !

Irina était devenue toute rouge. Adieu la dame exquise au visage lisse et aux cheveux de neige… Une pathétique vieille femme qui piquait une colère et s'étouffait.

— J'ai cent ans, et je veux que vous me les fêtiez dignement !

— Mais, Maman, tu sais bien que l'année dernière tu en avais quatre-vingt-cinq. Comment veux-tu en avoir cent cette année ?

— Tu me prends pour une folle ?

— Tu es juste un peu fatiguée, Maman. Tu ne sais plus très bien où tu en es.

Ce fut ce moment que Bernard, le cher Bernard qui se voulait toujours si habile avec les femmes, choisit pour clamer :

— Ma chérie-jolie, comment voudrais-tu avoir cent ans, mignonne comme tu l'es ?

— Toi, le vieux schnock, ta gueule !

Cette grossièreté qui ne lui ressemblait pas les laissa tous sans voix. Seule Marie réagit. Elle se leva, fit le tour de la table, embrassa sa grand-mère et lui murmura à l'oreille :

— Tu es la plus merveilleuse centenaire que j'aie

jamais vue. Viens, on va fêter ça toutes les deux. Je te ramène chez toi...

Irina se leva péniblement. Elle tremblait de tous ses membres. Bernard esquissa le geste de la suivre. Un réflexe. Mais un regard d'Irina le cloua sur place. Anne-Cécile le pria de rester pour goûter la tarte.

À peine la porte se fut-elle refermée derrière l'aïeule et la jeune fille que chacun y alla de son commentaire. Quelle horreur ! Quelle tristesse ! Ce bel esprit d'Irina, cette tête si bien faite s'en étaient allés.

— La vieillesse est vraiment *un naufrage* !

— Qui donc a dit cela ? De Gaulle ? Chirac ?

Un naufrage, oui. Dans le cas d'Irina, le mot convenait. Elle sombrait lentement mais sûrement dans la démence.

Anne-Cécile s'en doutait depuis longtemps. Et son mari aussi. Ils n'avaient pas voulu affoler Bernard. Mais la scène de ce soir ne laissait plus aucun doute sur son état de santé.

Elle ne pouvait plus rester seule. On devait absolument prendre soin d'elle, la décharger de tout souci matériel et financier, faire en sorte qu'elle puisse se reposer complètement sur sa famille.

On allait convoquer le médecin, faire une demande de mise sous tutelle. Anne-Cécile se chargerait des démarches administratives. Et si les rapports médicaux devaient se révéler aussi alarmants qu'on pouvait le craindre, on serait bien forcé de la mettre « en maison ». On n'aurait plus d'autre choix. Bernard devait s'y préparer. Car, à en juger par ce qui venait de se passer, la nécessité de l'institutionnaliser arriverait vite, plus vite que prévu.

*
* *

Ainsi fut fait. Deux mois après son centenaire raté, Irina fut admise – à son corps très défendant – chez les Petites Sœurs de Saint-Cloud, dans le service des patients atteints de la maladie d'Alzheimer.

L'arrivée de cette dame très agitée – on ne disait plus *vieille dame exquise* ni même *vieille dame indigne,* en parlant d'elle – ne fut pas un cadeau pour les autres pensionnaires. Son besoin d'attention, ses exigences et ses cris incessants accaparaient tout le monde. Les aides-soignantes et les kinés ne s'intéressaient plus qu'à elle.

Elle avait beau leur rendre la vie impossible, sa pugnacité et son entêtement finissaient par les ébranler. Même les médecins étaient touchés.

— J'ai cent ans ! J'ai cent ans ! J'ai cent ans !, répétait-elle nuit et jour. Et je veux que vous me les fêtiez dignement !

— Mais oui, bien sûr, Madame Dalimescu : vous êtes la plus vieille ici, puisque vous avez cent ans.

— Contrairement à ce que ma fille voudrait vous faire croire.

— Mais oui. Et nous vous avons souhaité ce magnifique anniversaire dans la salle à manger de la Résidence, dimanche dernier. Et aussi le dimanche d'avant. Et encore le dimanche d'avant. Vous vous en souvenez ?

— Non.

À ce rythme hebdomadaire de bougies et de gâteaux, Irina s'épuisa vite.

Moins d'un mois après son admission chez les Sœurs, *Le Figaro* publiait un avis : la baronne Irina Dalimescu s'était éteinte à Saint-Cloud, dans sa quatre-vingt-septième année.

L'adieu de Marie lors des funérailles de sa grand-mère, son discours à la mémoire farfelue d'Irina, lui rendit un peu de sa fantaisie et de son âme.

Mais l'église était vide. Et sur les banderoles qui ornaient les fleurs et les couronnes, sa famille avait fait inscrire les deux dates qui figureraient sur sa tombe. 1930-2017. Sa naissance et sa mort.

En vérité, les démarches pour déclarer sa disparition n'avaient pas été une mince affaire. Et les préposés aux pompes funèbres s'étaient arraché les cheveux. Si l'acte de décès, fourni par le médecin des Petites Sœurs de Saint-Cloud, n'avait pas posé de problème, impossible de produire d'autres documents justifiant de l'existence de la disparue dans les multiples pays qu'elle avait habités. Pas d'acte de naissance, pas d'acte de mariage. Plus de carte d'identité, plus de passeport. Plus même de lettres, ni d'enveloppes avec le cachet de la poste. La défunte avait tout brûlé. Elle avait même découpé son visage dans les photos qui auraient permis de dater les étapes de sa vie. Elle ne laissait derrière elle aucune trace de son passage sur terre. Rien.

Et rien encore, quand il s'agit de fournir au notaire les papiers qui permettaient d'ouvrir sa succession… Sinon une enveloppe cachetée à la cire, qu'Irina avait déposée en main propre au clerc de l'étude, à la suite de la funeste soirée d'anniversaire où elle avait perdu la tête. C'était quelques jours avant son internement. Sa dernière sortie.

★
★ ★

En ce matin de janvier 2017, sa fille, son gendre, sa petite-fille et son mari se trouvaient à nouveau réunis, non plus autour de ses bougies adorées mais de la fameuse enveloppe que le notaire de famille triturait entre ses doigts. Manifestement, il avait déjà pris connaissance de son contenu.

— Mme Dalimescu m'avait demandé de faire traduire et authentifier ces papiers, dit-il en leur tendant les feuillets originaux. Comme vous le voyez, les documents sont écrits en moldave. L'ambassade de Roumanie vient de nous confirmer leur authenticité, ils ont été traduits par un traducteur assermenté.

— De quoi s'agit-il, Maître ? interrompit Anne-Cécile.

— D'une forme de testament qu'a rédigé un oncle de votre mère en 1974.

— En 1974 ? Je ne savais pas que Maman avait encore de la famille.

— Votre oncle s'appelait Carol Dalimescu. Il était le frère cadet de votre grand-père. Il est décédé centenaire, à Austin au Texas, le 14 novembre 1977.

— Il y a quarante ans ? Pourquoi Maman a-t-elle gardé cette enveloppe pendant tout ce temps ?

— Les dernières volontés contenues dans cette enveloppe font de votre mère la légataire universelle de M. Carol Dalimescu.

— Je comprends encore moins pourquoi Maman ne nous en a pas parlé !

— Sans doute, intervint le gendre d'Irina, parce qu'il n'y avait rien à dire et rien à hériter. Ou seulement des dettes.

— Votre grand-oncle était richissime. Sa fortune reste estimée à cent millions de dollars.

— Cent millions de dollars ?

Anne-Cécile en resta saisie.

— Et Maman a hérité de tout ça ?

— Donc, opina son mari, le souffle coupé... Nous !

— Il y avait toutefois une condition.

— Une condition ?

— Pour toucher cet héritage, votre mère devait avoir célébré son centième anniversaire. Sinon, la fortune de votre oncle allait au Club des Centenaires qu'il a fondé à Austin... Je suis désolé. Vraiment désolé pour vous, madame. Votre mère est décédée quatorze ans trop tôt.

— Pourquoi désolé, maître ? Ma mère a eu cent ans le 14 novembre dernier.

— L'âge de la baronne Irina Dalimescu, lors de sa disparition en janvier, ne remplit malheureusement pas les exigences de ce document.

— Mais si ! Mais si ! Il les remplit ! Maman était centenaire !

— 1930-2017... On y est presque, chère madame. Presque. Mais on n'y est pas. Le testament est formel et je ne peux rien faire. L'argent va être versé à la Fondation.

— *1916,* maître : ma mère était née en *1916* ! Nous lui avons souhaité son centenaire en famille. Cent bougies sur son gâteau. N'est-ce pas, Bernard ?

N'est-ce pas, Marie ? Vous la connaissiez, Maître...
Coquette comme elle était, elle ne voulait pas que
ça se sache. Que voulez-vous, elle cherchait toujours à plaire. Tu te souviens, Marie ? « Je veux que
vous me fêtiez mes quatre-vingt-six ans, répétait-
elle. Personne ne doit connaître mon âge véritable :
on me prendrait pour une vioque ! » À cent ans, elle
minaudait encore et voulait en paraître quatre-vingt-
six ! C'est mignon, n'est-ce pas ? Elle nous a même
forcé à mettre une fausse date sur sa tombe. Pensez
donc, pour une grande charmeuse, une séductrice
de son envergure : cent ans, quelle humiliation ! Elle
a été jusqu'à détruire tous ses papiers afin qu'on la
prenne pour une jeunesse.

— En parlant de papier, elle vous a laissé une
lettre... pour s'expliquer sans doute.

Le notaire tendit à Anne-Cécile une enveloppe
de vélin rose qui exhalait encore le parfum d'Irina.

La lettre, sur laquelle elle avait dessiné des petits
cœurs rouges, fut vite lue.

Quatre mots :

« Tu mens, ma fille ! »

Agnès LEDIG

Le soleil devrait être au rendez-vous dimanche

Cet anniversaire doit être réussi !

Ce n'est pas quelques intempéries qui vont arrêter Pascal. Les dix ans de son fils, dans ce contexte difficile, c'est une cerise sur le gâteau à ne pas négliger. Le soleil devrait être au rendez-vous dimanche, et la vue sublime depuis ce refuge de montagne où il a prévu de l'emmener.

Deux heures de route pour l'atteindre, puis encore deux heures de marche dans la nuit, puisqu'il n'a pas pu poser un congé ce samedi. À croire que son patron n'a pas eu d'enfants. Pourtant si.

Mais un samedi soir et un dimanche, c'est déjà bien, et puis, le jour même de ses dix ans, ça n'a pas de prix. La répartition des week-ends de garde avec son ex-femme a sonné comme une aubaine qu'il se devait de transformer en souvenir mémorable.

Pierre-Antoine a passé la journée chez ses grands-parents, en attendant que son père vienne le cher-cher, après son travail. Tout était déjà prêt depuis la veille : les chaussures de marche, les deux sacs à dos, les duvets, les jumelles, l'appareil photo, de quoi manger et boire. Tout était prévu, sauf cette pluie continue et intense.

Mais le soleil devrait être au rendez-vous dimanche.

Elle n'a pas pu s'empêcher, Mamie, sur le pas de la porte, de lancer à son fils :

— Tu es bien sûr que vous ne devriez pas reporter ? C'est peut-être dangereux, en montagne, non ? Il pleut tellement ! Il n'a que dix ans !

Ils sont partis depuis bientôt deux heures. Ils auraient déjà dû atteindre Saint-Nicolas-la-Chapelle et la petite route qui bifurque vers le refuge. Mais la progression sur la départementale est difficile sous les trombes d'eau et les essuie-glaces n'ont de cesse de s'agiter. Pascal commence doucement à se demander s'il a bien fait de maintenir cette escapade en montagne. Et si sa mère avait raison ? Et s'il prenait des risques inconsidérés, juste pour montrer à son fils à quel point il l'aime, juste pour marquer ce jour d'anniversaire d'une pierre blanche ? Il doit avoir ce besoin inconscient de prouver qu'il est un bon père prêt à tout pour son enfant. Le prouver à son fils, à son ex-femme, au juge, à la société ?

Pascal chasse ces pensées parasites et se reconcentre sur la petite route, désormais plus étroite, cheminant entre les arbres et les champs. L'intensité de la pluie rend la visibilité mauvaise et il n'aperçoit la chaussée que par intermittence. Elle lui apparaît floue le reste du temps. Chaque lacet attise donc un peu plus sa vigilance. À nouveau, ses pensées repartent, mais positives, cette fois-ci.

Il connaît l'endroit, le sentier qu'ils vont emprunter, le refuge où ils vont dormir, la randonnée du lendemain, le sommet d'où l'on voit parfaitement le mont Blanc. Mais jamais il n'a pu y emmener son fils. Pourtant, Pierre-Antoine parle sans arrêt de montagne, surtout depuis qu'il est parti vivre dans la plaine avec sa mère.

— Papa, tu crois qu'on pourra marcher demain ?

— Le soleil devrait être au rendez-vous dimanche, ne t'en fais pas ! Mais tu sais, il faudra déjà marcher ce soir pour rejoindre le refuge.

— Sous cette pluie ?

— On est forts, non ? Avec un bon imperméable !

— Et nos chaussures ?

— On les fera sécher au coin du feu !

— Il y aura un feu ?

— On devrait pouvoir en faire un.

Pascal sent poindre l'inquiétude dans la voix de son fils. De quoi le faire douter un peu plus.

C'est à la sortie d'un virage, juste après avoir laissé sur sa gauche les dernières habitations, qu'il immobilise *in extremis* son véhicule. La route est totalement ensevelie par une énorme coulée de boue, aussi haute que la voiture. Une chance qu'ils ne soient pas passés à ce moment-là. Pierre-Antoine s'est agrippé au tableau de bord quand son père a pilé.

— On va faire quoi, papa ?

— On va faire demi-tour, garer la voiture dans un endroit sûr, et réfléchir.

— Alors c'est fichu pour aller au refuge ?

— Je ne crois pas qu'il y ait un autre chemin d'accès, et c'est encore beaucoup trop loin à pied.

— …

— Et trop dangereux, de toute façon. Imagine une telle coulée sur le sentier de randonnée.

— Alors c'est Mamie qui avait raison ?

— Peut-être, admet Pascal en faisant marche arrière jusqu'au petit chemin qu'il avait aperçu en montant.

Il coupe le moteur, se tourne vers son fils, et le regarde en silence. Un silence couvert par la pluie battante qui martèle la carrosserie de son 4×4. Redescendre ? Et fêter ses dix ans enfermés dans son appartement en ville ? Renoncer à la lumière de demain dans les yeux de Pierre-Antoine, et donc à celle dans son cœur de père ?

— C'est quoi, papa, les cris qu'on entend ?

— Tu entends des cris ?

— Oui, on dirait une femme qui appelle !

— Ne bouge pas, tu restes là, OK ?

— Tu ne t'en vas pas trop loin ? !

— Non, je sors juste de la voiture pour mieux entendre.

Une voix féminine, en effet. Elle ne semble pas appeler au secours, mais parler fort pour se faire entendre, probablement d'une autre personne. Les sons viennent du champ juste au-dessus de la route. Que font des gens dehors sous cette pluie battante ?

Pascal décide d'aller voir les raisons de ces cris. Mais il est inconcevable de laisser Pierre-Antoine seul. Ils iront ensemble. Le père retourne vers son fils, ouvre le coffre et en sort les imperméables et les chaussures de marche, avant de se réfugier dans le véhicule pour les enfiler.

— On va aller voir ce qu'il se passe !
— Ça ne risque rien ?
— Tu as peur ?
— Non ! J'ai dix ans, maintenant, Papa !
— Je sais !

Après avoir noué leurs chaussures de marche et fermé leur imperméable pour se couvrir au maximum, l'homme et son fils laissent la voiture en contrebas et empruntent le chemin boueux en se tenant la main. La progression est difficile sur le terrain glissant et dans la pénombre de la nuit qui tombe. Le garçon sent la poigne ferme et rassurante de son père qui le tire derrière lui. Les sons s'approchent.

— Constance, non, plutôt par là, dans le sens de la pente ! hurle la femme.
— J'essaie, promis !

C'est une gamine qui a répondu, la voix est bien trop fluette pour un adulte. Une femme et une enfant, sous les trombes d'eau d'un crépuscule déjà sombre ? Pascal aperçoit des lumières au loin, entre les gouttes. L'image est striée comme les chaînes auxquelles il n'était pas abonné, plus jeune.

Pierre-Antoine s'accroche toujours solidement à la main de son père et fait probablement un effort surhumain pour rester à sa hauteur. Mais c'est un grand, maintenant.

Ils aperçoivent d'abord le bâtiment avant de distinguer des silhouettes qui s'agitent nerveusement tout autour.

— Hé oh ! Vous m'entendez ? crie-t-il à son tour.

La femme s'approche rapidement, équipée d'une lampe frontale dont le faisceau éclaire la pluie devant elle. Ses longs cheveux gris et trempés sont collés sur ses joues. Elle a le regard clair, sous la lumière blanche.

— Qui êtes-vous ?

— Nous allions au refuge du grand pré, mais...

— Par ce temps ?

— Il devrait faire beau dimanche ! Mais une coulée de boue bloque la route juste au-dessus.

— Ah, c'était donc ça le bruit tout à l'heure ?

— Qu'est-ce que vous faites dehors, vous ?

— J'ai une chèvrerie à sauver de l'inondation. Avec ma petite-fille, nous creusons des rigoles pour détourner l'eau. Je vais chercher des outils, vous allez nous aider ! On ne sera pas trop de quatre.

Pascal n'a pas le temps de répondre qu'elle est déjà entrée dans le bâtiment et en ressort quelques instants plus tard avec une pioche et une petite pelle qu'elle tend aux garçons. Elle leur explique où se poster et dans quelle direction creuser, avant de retourner à son poste initial en leur lançant un merci par avance.

Quand il cherche son fils du regard, l'homme l'aperçoit déjà en train d'aider la fillette à dégager la terre pour guider l'eau.

Il ne sait pas, en donnant son premier coup de pioche dans la boue caillouteuse, qu'il creusera ainsi pendant deux longues heures avant que l'accalmie et le travail accompli ne les autorisent à se mettre à l'abri.

★
★ ★

Pierre-Antoine et son père sont allés dans la salle de bains, pendant que la femme et sa petite-fille se séchaient devant le feu.

— Papa, je suis obligé de mettre ce pull rose et ce caleçon à rayures ?

— Tu ne voulais quand même pas garder tes habits trempés ? ! Ni rester nu comme un ver ? ! La dame t'a bien expliqué qu'elle n'avait que les habits de sa petite-fille pour te changer. Tu as vu ce que j'ai, moi ?

— Un pull en laine gris, et un large pantalon noir.

— Très près du corps !

— Au moins, c'est pas rose !

— Allez, viens, elle nous a dit que nous pouvions venir nous réchauffer et manger un morceau...

— On va rester là toute la nuit ?

— Nous allons au moins attendre que nos affaires soient sèches.

— Tu parles d'un anniversaire !

— Comment s'appelle la jeune fille ?

— Je ne sais pas, je n'ai pas eu le temps de lui demander.

— Elle ne l'a pas appelée Constance, tout à l'heure ?

La femme, qui a enroulé ses longs cheveux probablement encore humides dans une grande serviette, les accueille avec un large sourire et les invite à s'asseoir dans le canapé près de la cheminée.

— Je m'appelle Bernadette, et ma petite-fille Constance.

— Pascal, et Pierre-Antoine.

— Vous êtes tombés du ciel pour nous sortir de cette mauvaise passe. Je ne sais pas comment vous remercier.

— Nous n'avions pas beaucoup d'autres choix. Au moins, nous sommes à l'abri, et les chèvres sont sauves.

— Je n'aurais pas su comment faire autrement.

— Vous vivez seules ici ?

— Constance me rejoint certains week-ends, sinon, je suis seule pour m'occuper des chèvres, du fromage et de la vente.

— Ce n'est pas trop dur ?

— Quand la météo est clémente, c'est le paradis, ici. J'ai ce qu'il faut pour être heureuse. Et vous ? Que faisiez-vous là ?

Pascal lui explique alors, tout en goûtant du fromage de chèvre sur un morceau de pain, leur projet de passer la nuit au refuge pour partir tôt le lendemain matin et fêter les dix ans de Pierre-Antoine tout là-haut. À quel point cela leur tenait à cœur, à l'un et à l'autre. À quel point ils sont déçus.

Constance demande à sa grand-mère si elle peut emporter de quoi grignoter et propose à Pierre-Antoine de visiter la maison et son coin secret. Le garçon jette à son père un œil mi-implorant mi-troublé. Il se lève, hésitant, sous le sourire bienveillant et complice de Pascal, et suit la gamine dans l'escalier en bois.

— Vous êtes seul avec lui ? enchaîne Bernadette quand les deux enfants ont disparu à l'étage du petit chalet de montagne.

— Divorcé.

— C'est difficile ?

— Très. Je ne le vois qu'un week-end sur deux, et la moitié des vacances. Sa mère est partie à une centaine de kilomètres pour son travail et pour retrouver l'homme qui m'a remplacé.

— Ma fille aussi a divorcé. C'est pour ça que j'ai Constance certains week-ends. Une hôtesse de l'air et un pilote de ligne, ça voyage tout le temps.

— Et ça se passe bien entre eux ?

— Pas au début. Ils se sont disputé la garde, disputé l'amour de Constance, sans comprendre qu'ils se trompaient de combat.

— J'ai le même problème. J'essaie de raisonner en fonction de Pierre-Antoine, mais nous ne nous entendons pour rien. Elle essaie de le monter contre moi.

— Je les ai un jour invités ensemble sans les prévenir, pour mettre les points sur les *i*. Je n'en pouvais plus de les voir souffrir tous les trois. Je crois qu'ils m'ont écoutée. Depuis, ils sont un peu plus en paix.

— Je ne comprends pas comment l'amour peut se transformer en haine.

— De vieilles blessures d'ego que la séparation ravive. Mais les enfants n'y sont pour rien. Les en rendre témoins, voire petits soldats dans cette guerre entre leurs parents ne devrait jamais avoir lieu.

Constance est passée la première sur l'échelle qui, depuis la mezzanine, mène à son petit espace secret sous le toit. Dès que Pierre-Antoine s'y installe, elle ferme les doubles rideaux à carreaux et lui montre la petite fenêtre qui donne sur le salon. Un vitrage sur la mezzanine empêche d'entendre les conversations mais, depuis leur perchoir, ils aperçoivent Pascal et Bernadette parler devant la cheminée qui éclaire leur visage d'un jaune orange dansant.

— Tu vis avec ton père ?
— Que certains week-ends et pendant les vacances
— Ils sont divorcés aussi ?
— Oui. Les tiens aussi ?
— Oui.
— Et tu vis avec qui ?
— Les deux, en alternance.
— Et ça va ?
— Oui. C'est différent, mais ça va. Pas toi ?
— J'aime pas mon beau-père. Il me fait bien comprendre que je suis de trop quand je suis là.
— Et ta mère, elle ne dit rien ?
— Si, elle dit du mal de papa. Mais je sais que c'est pas vrai.
— Pourquoi elle dit du mal de lui ?
— Parce qu'il veut que j'aille vivre chez lui. Il y a un jugement au tribunal pour ça dans deux mois.
— Et toi ? Tu voudrais quoi ?
— Je voudrais qu'ils ne se soient pas séparés.
— Pourquoi ils ont divorcé ?
— Ma mère est partie avec ce type.
— Elle n'aimait plus ton père ?
— Je ne sais pas. Ils n'étaient jamais d'accord.

Même pour mon prénom. C'est pour ça que je m'appelle Pierre-Antoine.

— Tu sais, parfois, c'est mieux d'avoir deux maisons que de les voir se disputer tout le temps.

— C'est dur quand même.

— Je sais. Tu veux du fromage de chèvre ?

— C'est du fromage d'ici ?

— Évidemment. C'est ma grand-mère qui les fait.

— Tu viens souvent ?

— Oui. J'adore venir m'occuper des animaux. En ce moment, il y a des petits. Peut-être qu'il y aura une naissance demain, tu pourras la voir !

— On va rester là cette nuit ?

— Tu vois une autre solution ?

Pierre-Antoine ne dit rien. Finalement, il se sent bien dans ce petit recoin, protégé, loin de tout. Constance a allumé une lumière dans la mansarde, laissant apparaître une bibliothèque pleine de livres, de cartes postales, de photos, et de quelques morceaux de bois trouvés certainement dans la forêt derrière le chalet.

Il se penche à nouveau par la fenêtre, mâchant son morceau de fromage avec du pain, en ignorant de quoi parlent les adultes en bas.

— Et comment avez-vous fait pour apaiser la rancœur dans le couple de votre fille ?

— Je leur ai dit qu'ils confondaient le couple-amants et le couple-parents. Qu'ils auraient dû prendre l'engagement, avant même d'avoir un enfant, de rester toujours des parents unis pour lui, quel que soit l'avenir de leur amour et de leur couple.

— C'est facile à dire.

— Prendre un engagement, et s'y tenir, c'est possible quand on comprend pourquoi on le fait. La plupart des parents veulent le bien de leur enfant. On les a généralement dans un contexte où l'amour est tellement fort qu'on ne s'imagine pas qu'il puisse disparaître. Et pourtant ! Alors si on s'est dit un jour « croix de bois, croix de fer, si nous nous séparons, nous ferons tout pour que ça se passe bien pour les enfants », ça laisse une petite chance d'y arriver le moment venu.

— Et quand c'est trop tard ?

— Il n'est jamais trop tard.

— Mon ex-femme ne veut rien entendre. Elle pense que c'est moi qui ne veux pas le bien de notre fils, persuadée d'être la mieux placée pour l'élever.

— Avez-vous essayé une conciliation ?

— Ça n'a rien donné.

— Alors vous faites de votre mieux. Continuez à prendre soin de votre fils, comme vous le faites. Le reste suivra.

— J'espère… Nous allons peut-être vous laisser. Je vais le ramener à la maison. Nos projets sont tombés à l'eau, au sens propre et au sens figuré.

— Vous n'allez pas repartir comme ça, avec vos affaires mouillées, dans l'obscurité, sur des routes risquées. Restez là cette nuit, vous pourrez marcher à partir d'ici demain. Il y a de très beaux sentiers.

— Nous ne voulons pas vous envahir.

— Vous m'avez aidée à épargner mon outil de travail et mes chèvres, je vous dois bien ça. Vous dormirez sur le canapé et Pierre-Antoine sur un matelas en haut, à côté de Constance.

— J'ai des duvets dans la voiture, je peux aller les chercher, propose Pascal. Je me rends compte que je n'ai pas pris de vêtements de rechange. C'est ridicule ! J'imaginais certainement cette escapade entre hommes à la dure, avec le minimum vital pour survivre !

— Et c'est le cas. Ne vous inquiétez pas, j'ai des couvertures. Vous n'allez pas ressortir maintenant.

L'heure tardive les incite à mettre en œuvre cette proposition de couchage sur-le-champ et Pascal monte jusqu'à la mezzanine pour prévenir son fils de leur hébergement de fortune. Le garçon ne proteste même pas. Il est bien installé au chaud, dans son pull rose, sous une couverture, à feuilleter une BD d'Astérix, pendant que Constance lit un roman. Il ne pense à rien d'autre.

★
★ ★

Pascal s'est endormi face à la cheminée, bercé par le crépitement du feu et ce sentiment si troublant que la vie n'en fait finalement qu'à sa tête et mène les hommes par le bout du nez, pour leur faire vivre des situations dont l'incongruité n'empêche pas le plaisir.

Il a été réveillé par les premiers mouvements de Bernadette dans la cuisine, déjà en tenue de travail pour aller voir à la lumière du jour ce que les intempéries de la veille avaient laissé derrière elles.

Il l'a rejointe dans la chèvrerie.

— Pas trop de dégâts ?

— Non, ça va. L'eau s'est infiltrée un peu partout, mais nous avons réussi à éviter le pire. Merci encore.

— De rien. Merci à vous pour le reste…

— Je crois que Clochette va mettre bas d'ici peu. On commence à voir des choses au niveau de la vulve. Votre fils aimerait peut-être voir ça, non ?

— Je vais aller le chercher.

Quelques minutes plus tard, les deux enfants sont dans l'allée de la chèvrerie, les yeux encore un peu fripés de sommeil. Si Constance a déjà vu des petits chevreaux naître, ce n'est pas le cas de Pierre-Antoine. Il regarde, ébahi et ému, le spectacle de ces deux petites pattes qui sortent, suivies de la tête, puis rapidement du reste du corps. Le petit atterrit dans la paille, immédiatement frotté par Bernadette afin de le réchauffer. La mère observe son petit qui commence à remuer et se met à le lécher pour le nettoyer. Les premiers cris frêles et hésitants se font entendre.

Le garçon sourit à son père en lui prenant la main.

— Tu les surveilles un peu, Constance ? Tu m'appelles si besoin. Je retourne à la maison, j'ai quelque chose à faire, lance alors Bernadette en sortant du box.

Alors que les deux enfants couvent des yeux le petit chevreau qui s'est déjà levé sur ses pattes chancelantes, Pascal déambule dans le bâtiment en remettant en ordre ce qu'il peut pour se sentir utile, déplaçant des sacs que l'eau infiltrée menace d'atteindre. Le contact des animaux, loin de tout, est une bonne thérapie pour revenir à l'essentiel et relativiser. Tout paraît si simple chez les autres mammifères.

Après une bonne heure, alors que les enfants caressent le nouveau-né, il retourne au chalet pour rassembler ses affaires, en les espérant parfaitement sèches. Une bonne odeur de gâteau flotte dans le séjour.

— On peut pique-niquer tous ensemble ce midi, si vous voulez, propose Bernadette. Les enfants ont l'air de bien s'entendre. J'ai fait un gâteau, on n'aura qu'à emporter des bougies.

— Avec plaisir.

Pascal réalise qu'il n'a même pas réfléchi, mais répondu spontanément, certain d'offrir malgré leurs déboires un moment agréable à son fils.

Père et fils enfilent leurs habits de la veille, extirpent de leurs chaussures de marche le papier journal roulé en boule qui a fini d'absorber l'humidité, et rejoignent la voiture pour refaire leur sac à dos, en sortant tout ce dont ils n'ont plus besoin.

La femme et sa petite-fille les attendent au coin du chalet, prêtes pour la randonnée promise.

Ils marcheront deux heures presque en silence, Bernadette en ouverture, suivie des enfants et de Pascal qui fermera la marche. Ils s'arrêteront pour pique-niquer sur un petit sommet qui domine un col et qu'il aura fallu gravir sans l'aide d'un sentier tassé. Mais quel spectacle là-haut, directement face au mont Blanc, éclairé par la lumière particulière de ce jour apaisé après le déchaînement des éléments.

Ils déjeuneront en échangeant quelques paroles, en riant, les enfants courseront les papillons, et les adultes s'amuseront de les voir faire.

Pierre-Antoine soufflera ses bougies sur le cake encore emballé dans son papier aluminium et, la bouche à moitié pleine, se penchera vers son père et lui chuchotera à l'oreille : « C'est le plus beau des anniversaires, papa. »

Pascal sourira paisiblement, une lumière dans le cœur.

Il se dira que le soleil était bien au rendez-vous, ce dimanche.

Marc Levy

Accords nus

Émilie est une drôle de fille, elle parle peu, pour ainsi dire jamais. Lorsqu'elle me rend visite, elle frappe toujours à l'improviste. Je lui ouvre, elle reste là, dans l'encadrement de la porte, à me regarder, attendant que je prononce les premiers mots d'une conversation qui ne serait qu'un long monologue, si ce que je trouvais à lui dire n'était par elle ponctué de quelques hochements de tête. Je ne sais jamais ce qu'elle pense, sauf quand elle s'installe à mon piano.

J'ai hérité de ma grand-mère un vieux piano droit. Il trône entre les deux fenêtres de mon petit appartement. Je ne joue pas, mais j'aime la musique.

Les notes qui se délient sous les doigts d'Émilie me racontent sa journée, ses tristesses et ses joies. Certains soirs, elle s'interrompt à la fin du premier mouvement d'un concerto qu'elle répète, ôte son tee-shirt, se retourne et sourit en guettant la façon dont je viendrai à elle.

Si je traîne, elle soupire et se remet à jouer. Il m'arrive de faire exprès de prendre mon temps, j'aime regarder Émilie jouer seins nus. Sa poitrine épouse le rythme de sa musique et, lorsqu'elle se penche, ses seins effleurent l'ivoire. C'est très sensuel les seins d'une femme qui caressent le clavier d'un piano.

Quand Émilie fait l'amour, il y a dans ses ébats plus de tendresse que de sexe, Émilie ne parle pas ou peu, mais elle étreint amoureusement, ses élans me relatent une histoire que j'espère vivre un jour.

*
* *

J'ai rencontré Émilie dans un bus, sur une ligne de traverse, le jour de mon anniversaire.

J'aime bien ces petits bus de quartier. La plupart du temps, ils ne sont occupés que par des personnes âgées ; on se croirait transporté dans une autre époque, un peu plus civilisée. Je m'assieds toujours au fond, par habitude, et pour avoir la paix aussi, de nos jours les vieux sont si seuls qu'ils engagent la conversation pour un rien.

Cet après-midi-là, Émilie était à ma place, les yeux plongés dans un bouquin. C'est beau une fille qui lit un livre dans les transports en commun. Ces filles-là, on dirait que le monde autour d'elles n'existe plus. Elles ont le regard rivé à leur lecture et, chaque fois qu'elles tournent une page, elles le font de façon précipitée, comme si la lecture du prochain mot ou de la prochaine phrase à venir relevait d'une urgence. C'est cette urgence qui est belle, ce besoin absolu de connaître la suite. La lassitude du trajet, la monotonie du quotidien, la solitude ou les fins de mois difficiles, tout est emporté par une ribambelle de caractères en noir et blanc qui façonnent des mondes en couleurs.

Je me suis retourné pour l'observer. Il n'y avait

rien d'importun dans ma démarche, seulement un vrai plaisir à épier son bonheur.

De Truffaut jusqu'à Bichat, je l'ai vue sourire trois fois et vu ses yeux devenir humides à la station Firmin-Gémier.

Son attention était toute dévouée au livre qu'elle lisait, et la mienne, si retenue par elle que j'en oubliai de descendre à l'arrêt Guy-Môquet. Elle a refermé son livre, a quitté le bus devant l'hôpital Bretonneau, et moi, comme une andouille, je n'ai pas pu résister au désir de la suivre.

Arrivée dans le hall, elle s'est dirigée vers les ascenseurs. Ne sachant où aller, j'ai repéré un banc et je l'y ai attendue.

Elle est réapparue une heure plus tard, marchant droit vers moi. Ma gêne était flagrante, j'étais fébrile, elle m'a tendu son livre, sans dire un mot, et elle s'en est allée.

J'ai hérité du piano de ma grand-mère, parce que personne n'en voulait dans la famille, mais cet ouvrage m'avait été offert, à moi seul, et par une inconnue.

Il n'y avait sur la couverture ni titre ni nom d'auteur. J'ai feuilleté les pages, toutes étaient vierges. Je suis tombé raide amoureux d'Émilie. Une fille aussi absorbée qu'elle l'était dans les pages blanches d'un roman sans titre, c'était la liberté incarnée, quelqu'un avec qui tout était à écrire.

De retour chez moi, j'ai téléphoné à Paul. Paul est comme mon frère, nous nous sommes connus au lycée, nous avons fait les quatre cents coups ensemble, et tissé depuis l'enfance une amitié qui n'a jamais cessé.

Il est venu à la maison, il a feuilleté le livre et me l'a rendu sans rien dire.

— Et ensuite ? a-t-il demandé en croisant ses pieds sur la table basse.

— Ensuite… ai-je marmonné, je n'en ai aucune idée.

Mensonge. J'espérais la revoir. Je présageais que si quelque chose devait exister entre nous ça finirait forcément mal pour moi, parce qu'une fille comme Émilie ne peut que croiser votre vie, elle a le monde à voir, la terre entière à ses pieds. Mais la seule chose qui importait était ce qui se passerait entre notre rencontre et cette fin que j'envisageais déjà. Et puis, en poussant le raisonnement, s'interdire de vivre quoi que ce soit au seul motif que ça finira un jour n'avait ni sens ni panache. Tout a une fin, c'est dans l'ordre des choses. Aussi, lorsque, après avoir raconté à Paul ma rencontre dans l'autobus, je lui fis part de cette conclusion, il m'ordonna de l'écrire sur un papier qu'il plia et rangea dans sa poche.

— Quand tu viendras pleurer sur mon épaule, je veux pouvoir te dire que tu étais prévenu.

J'étais prévenu.

J'ai repris le bus de traverse le lendemain, à la même heure, mais la jeune fille au livre blanc n'était pas à bord. Je suis descendu à la station Bretonneau et j'ai marché vers l'hôpital. Elle était assise sur mon banc, dans le hall, et j'ai entendu le son de sa voix pour la première fois.

— Je ne pensais pas que tu reviendrais, m'a-t-elle dit.

Et puis elle a ajouté :

— Tu as fini le livre ?

J'ai répondu :

— Le premier chapitre seulement.

Elle a souri et m'a demandé où j'habitais.

Elle m'a suivi jusque chez moi. En entrant, elle est allée s'asseoir au piano. Je n'avais jamais entendu quelqu'un jouer comme elle. Un concerto qui vous aurait tiré les larmes si vous aviez été là.

À la fin du morceau, elle s'est retournée et m'a dit qu'il avait besoin d'être accordé, qu'elle pourrait le faire si je le souhaitais. Je lui ai demandé si elle travaillait dans cet hôpital, elle a répondu non de la tête. J'ai compris qu'elle y rendait visite à quelqu'un, et qu'elle ne voulait pas en parler. Alors je n'ai pas insisté.

Elle m'a prié de ne plus venir à l'hôpital. Si elle voulait me revoir, elle saurait où me trouver. Je crevais d'envie de lui demander si elle reviendrait. Elle a regardé mon piano, a dit qu'il avait vraiment besoin d'elle, et elle s'en est allée.

Durant huit jours, guettant sa visite chaque soir, j'éteignais la lumière plus tard que de coutume. Elle ne vint pas.

Et décembre passa.

En janvier, alors que l'hiver frappait encore à mes fenêtres, Émilie toqua à ma porte et accorda mon piano.

Les lundis, mercredis et vendredis de février, elle s'y installait et jouait une bonne heure sans jamais s'interrompre, et puis elle repartait après m'avoir embrassé sur la joue.

Aux premiers jours de mars, j'eus droit à un baiser sur la bouche. Un baiser mouillé, tendre et délicat. Elle m'a dit qu'elle aimait mes lèvres et elle s'est enfuie en courant dans l'escalier.

Je me suis précipité à la fenêtre et je l'ai regardée s'éloigner dans la rue, le cœur pincé.

Je suis clerc de notaire. C'est un métier qui peut

sembler très ennuyeux, mais si l'on s'intéresse aux autres, une étude notariale vous occupe du matin jusqu'au soir. On entend tant d'histoires, et pour peu qu'on leur témoigne un peu d'empathie, les gens vous confient leurs secrets. Un testament par exemple, ce n'est pas qu'une question d'argent, c'est le solde d'une existence que l'on transmet à ceux que l'on a aimés, avec l'espoir que leur vie soit meilleure que la vôtre.

Au mois d'avril, les visites d'Émilie devinrent plus régulières. Rares étaient les soirs où elle ne venait pas, elle repartait de plus en plus tard, parfois même au petit matin.

En mai, nous formions presque un couple, un couple qui ressemblait aux autres couples, à ceci près que nous n'allions jamais au cinéma, ni nous promener main dans la main. Je m'en fichais aussi éperdument que j'étais éperdu d'amour pour elle. J'aurais juste voulu voir la tête de Paul quand elle passait ses bras autour de mon cou. Il n'y avait plus que nous sur terre.

L'été est venu, et j'ai trouvé Émilie encore plus belle. Sa peau blanche se tachetait de rousseurs aux premiers rayons de soleil. Nous allions enfin marcher ensemble, le plus souvent autour du bassin du Luxembourg. Émilie finissait par s'asseoir sur le rebord, relevait sa jupe et laissait errer ses pieds dans l'eau. Il arrivait que le gardien nous rappelle à l'ordre, elle haussait les épaules, attendait qu'il s'éloigne et reprenait sa position.

Un dimanche de juillet, elle est entrée chez moi, yeux rouges et traînées de noir aux joues. J'ai compris, dans son silence et à sa façon de jouer du piano, qu'elle ne retournerait plus jamais à Bretonneau.

Elle a délaissé son concerto pour un air de blues, et elle qui parlait si peu s'est mise à fredonner :

J'ai connu des hivers de grisailles qui durent plus longtemps que tous les beaux printemps,

Des hivers de tristesses qui vous accrochent au cœur dès les premières neiges,

Quand il fait au-dehors aussi froid qu'au-dedans,

Quand le manque et l'absence vous tuent tout doucement.

Quand les premières neiges se poseront sur ton cœur

Quand les bonheurs perdus nous seront revenus

Je tisserai des étoiles au milieu de tes nuits.

Je te réapprendrai à sourire aux matins.

Quand les premiers flocons se poseront sur ta peau

Je verserai sur toi de la poussière d'espoir

J'irai à tes paupières souffler tous les nuages

Rapiécer nos hiers, tisser mes rides en toi.

J'irai gommer le ciel, j'effacerai tes chagrins

Je recoudrai aux cœurs nos plus beaux souvenirs

Nos envies de demain

Et si tout doucement je te dis que je t'aime.

Tu verras mon amour, le printemps reviendra.

Cette chanson, j'ai appris plus tard que sa mère la lui chantait en l'endormant le soir, mais ce dimanche c'était Émilie qui était allée lui fermer les yeux à Bretonneau.

Le lendemain elle n'est pas revenue, le jour d'après non plus.

Les semaines et les mois ont passé, je ne l'ai plus revue.

Un soir où j'étais plus triste que d'autres, alors que Paul et moi traversions le pont de Bir-Hakeim, il a sorti un petit bout de papier de sa poche, un bout de papier que j'ai tout de suite reconnu.

Il ne l'a pas déplié et s'est contenté de le jeter dans le fleuve en soupirant. C'est ça un véritable ami, quelqu'un qui se tient à vos côtés sans vous faire la morale. Il m'a juste demandé si ces quelques moments d'ivresse avaient valu tant de chagrin et sans attendre ma réponse, il m'a emmené dîner, c'était le soir de mon anniversaire.

★
★ ★

Si j'étais scénariste, jamais je n'écrirais « Un an plus tard ». C'est si long un an, bien plus qu'il n'y paraît sur un écran de cinéma.

★
★ ★

Un mercredi, Paul vint me rendre visite à l'étude à l'heure du déjeuner ; c'était inhabituel de sa part.

Il est entré dans mon bureau et s'est mis à faire les cent pas. J'ai attendu, sans rien dire. Et puis, n'y tenant plus, il m'a confié qu'il s'apprêtait à faire une énorme connerie, mais qu'il la fasse ou pas, il s'en voudrait dans les deux cas.

Il a déplié une feuille et l'a posée sur mon bureau. C'était une affichette de spectacle. Il m'a demandé si le visage qui s'y trouvait était bien le même que celui de la photo que je gardais sur mon piano. Émilie souriait en noir et blanc sous le nom de la salle où elle allait jouer.

— C'est ce soir, a dit Paul, je suis tombé dessus par hasard en allant chercher des papiers à la mairie, elle était épinglée à un tableau d'affichage dans un couloir. J'ai mis du temps à la remarquer. Que voulais-tu que je fasse, te le dire ou te le cacher ?

J'ai quitté l'étude plus tôt et marché jusqu'au lieu du concert en essayant de mettre un peu d'ordre dans mes pensées, peine perdue.

La salle était loin d'être pleine, je me suis installé tout au fond, comme dans un bus de traverse.

L'obscurité se fit et elle entra en scène.

Où était-elle durant tout ce temps ? Était-elle retournée au bassin du Luxembourg, avait-elle arpenté les rues où nous nous promenions ?

C'est si vide une ville lorsque quelqu'un vous manque. Les gens que l'on croise ne sont que des ombres, au mieux des fantômes, leurs conversations vous traversent sans jamais vous pénétrer. À combien de dîners Paul m'avait-il entraîné, et combien de fois m'étais-je retrouvé à écouter d'une oreille distraite les propos d'une voisine de table dans les bras de laquelle Paul rêvait de me voir tomber ?

Rien n'y fait quand l'absence vous étreint. Le dessin d'une nuque, le mouvement gracile d'une main, un sourire lointain, un timbre ou une intonation de voix, un parfum, le moindre rien vous rapproche de l'autre et vous éloigne de vous.

Je me souviens d'un jour, alors que je traversais le jardin du Luxembourg, avoir aperçu une silhouette qui lui ressemblait. Une jeune femme lisait sur un banc. Je me souviens d'avoir senti mes jambes se dérober, je me souviens de cette journée si longue, de cette soirée passée à flâner devant les bouquinistes du quai Malaquais.

Ce soir, sur la scène de la salle des fêtes, ce n'était pas une ombre, mais Émilie jouant devant un auditoire.

C'est idiot, je me suis senti dépossédé. Ce concerto m'appartenait, je la revoyais le répétant, seins nus à mon piano.

À la fin du concert, je suis allé attendre à la sortie des artistes. Émilie est apparue seule, elle a marché dans ma direction et m'a regardé, aussi simplement que si nous nous étions quittés la veille. Elle m'a dit qu'elle était heureuse que je sois là. Je lui ai rendu le livre. J'y avais écrit les mille pensées que j'avais eues pour elle depuis qu'elle s'en était allée.

Je l'ai embrassée sur la joue et, cette fois, c'est moi qui me suis enfui.

Le lendemain, elle a frappé chez moi, elle est restée dans l'encadrement de la porte à m'observer. Je n'ai d'abord rien dit et, pour briser le silence, j'ai fini par lâcher :

— Je ne pensais pas que tu reviendrais.

Et puis j'ai ajouté :

— Tu as fini le livre ?

— Le premier chapitre, m'a-t-elle répondu.

Elle s'est installée au piano. Au milieu du concerto, elle a enlevé son tee-shirt, s'est retournée et m'a dit :

— J'ai quitté la ville avec ses cendres dans une boîte au fond de ma valise. Je le lui avais promis, tu comprends. Je l'ai emmenée au bout du monde, là où elle n'avait jamais pu aller. J'ai joué dans des bars perdus, traversé des villes si lointaines qu'elles m'étaient inconnues. J'ai dormi sur des bancs, chez des gens qui m'avaient ouvert leur porte, sur des plages pleines de souvenirs et de promesses, j'ai vu des paysages insensés, des regards d'enfants inoubliables, échangé des mots avec des inconnus dont je ne parlais pas la langue et avec lesquels nous nous sommes pourtant dit tant de choses. Le soir il m'arrivait de te raconter ma journée avant d'éteindre la lumière. Je l'ai laissée là-bas, à l'endroit où elle souhaitait être libre, elle l'avait choisi dans un livre la veille de sa mort. C'était un beau voyage, trop long peut-être, et peut-être même n'ai-je plus le droit d'être là, de jouer à ce piano, mais si tu es venu hier, c'est peut-être le contraire ? Enfin, si tu préfères que je m'en aille, je comprendrais.

Elle n'avait jamais prononcé autant de mots d'une seule traite, et je savais combien il avait dû lui en coûter.

Alors je lui ai répondu que tout dépendait de ce qu'on avait attendu.

— Le printemps est revenu, lui ai-je dit tout doucement.

C'était le soir du 21 mars, le jour de mon anniversaire.

Agnès MARTIN-LUGAND

Merci la maîtresse

Tous les matins, c'était la course. J'avais beau mettre mon réveil plus tôt, rien n'y faisait. Il sonnait, il sonnait, je ne l'entendais pas ; le son le plus strident ne perturbait pas mon sommeil. J'étais une lève-tard, au grand désespoir de ma petite famille. Fabrice, mon mari, n'en souffrait pas trop, il partait au travail aux aurores et n'avait pas à gérer la situation. En revanche, notre fils de huit ans, Dimitri, vivait un vrai calvaire à cause de sa chère maman étourdie et constamment à la bourre. Ce jour-là ne dérogeait pas à la règle. Dimitri s'était habillé comme il pouvait pendant que je me douchais en quatrième vitesse. À peine séchée, j'avais enfilé culotte et soutien-gorge, puis tout en finissant de m'habiller, je lui avais préparé un simulacre de petit déjeuner. Ce qui avait le mérite de le faire rire et de diminuer son angoisse à l'idée d'arriver en retard à l'école, encore une fois. Il fallait dire que me voir traverser la cuisine avec une seule jambe de jean enfilée, mon pull-over à l'envers et les cheveux encore dégoulinants devait être assez comique.

— Allez Dimi, on y va, lui dis-je en avalant de travers un café.

Même pas le temps de respirer ! Quelques secondes plus tard, je claquai la porte d'entrée.

— Maman, tu as oublié de mettre tes chaussures, m'annonça mon fils, affligé par mon comportement.

Je baissai le nez et découvris, effectivement, mes pieds nus.

— Avance, je te rejoins, lui répondis-je en fouillant déjà dans mon sac à main à la recherche de mes clés.

Une fois mon problème réglé, je retrouvai Dimitri dans les starting-blocks sur le trottoir. Heureusement, nous habitions tout près de l'école. J'attrapai sa main, et notre sprint quotidien démarra, non sans que je jette de fréquents coups d'œil à ma montre. Mais pourquoi les minutes passaient-elles si vite ?

8 h 34. Pas si mal ! Limite, j'étais fière de moi. D'ici la fin de l'année, j'arriverais à l'heure à l'école. Ma joie s'évapora en quelques secondes en découvrant la directrice à la grille – accessoirement la maîtresse de mon fils. Certains jours, j'évitai le contrôle. Pas aujourd'hui…

— Bonjour, lui lançai-je avec mon plus beau sourire.

— Bonjour, me répondit-elle. Je voulais vous voir.

— Je sais, je suis encore en retard…

— Oh non, ce n'est pas de ça dont je souhaitais vous parler. J'ai fini par comprendre que ce pauvre Dimitri n'arriverait jamais à 8 h 30.

Elle lança un regard chargé de compassion à mon fils. J'aurais voulu me terrer dans un trou de souris.

— Nous avons effectué le tirage au sort pour

le goûter d'anniversaire des enfants nés durant les vacances d'été.

Je sentis la catastrophe arriver. Dimitri était scolarisé dans une école charmante, accueillante, très bien organisée – trop pour moi – et désireuse d'impliquer les parents, *tous* les parents. Certains étaient même prêts à se battre pour participer aux activités. D'où les tirages au sort. Déjà que j'étais incapable d'arriver à l'heure, alors participer aux sorties scolaires, gérer les pique-niques et aider à traverser les passages piétons dépassait largement mes compétences de mère.

— Dimitri est du mois de juillet, confirmai-je. Et qui sont les heureux élus ?

Je croisai le regard envieux, pour ne pas dire dégoulinant d'espoir de mon fils. Il en rêvait depuis tellement longtemps.

— Eh bien, si je vous en parle, c'est que vous en faites partie ! C'est vendredi prochain, vous avez une semaine pour tout préparer.

Catastrophe.

— Merveilleux ! m'exclamai-je la voix un peu trop perchée.

Tellement merveilleux que ça tombait au pire moment. J'étais en plein rush au boulot. Fabrice aussi puisqu'il partait en déplacement toute la semaine suivante. Ne me restait plus qu'à croiser les doigts pour que je tombe sur une de ces mères de famille exemplaires qui rivalisent d'ingéniosité pour faire le plus beau gâteau en forme du château de la Reine des neiges ou de Dark Vador. Auquel cas, je proposerai de gérer les boissons et les bonbons. Les goûters d'anniversaire à l'école pouvaient se transformer avec certains parents en événements dignes d'une sortie au parc d'attractions. Tous les parents étaient impliqués à part moi, et personne ne prendrait le risque de me confier cette responsabilité.

— Ce sont les parents de Louise.

Louise était l'amoureuse de Dimitri, qui à son grand désespoir déménageait à la fin de l'année. Je le zieutai ; il avait la bouche grande ouverte et les yeux pétillants.

— Donnez-moi le numéro de sa maman, je vais m'organiser avec elle.

— Le papa vous attend au café d'en face depuis vingt minutes.

— Le papa ? Il est pâtissier ?

— Absolument pas. Je le laisse vous expliquer. Vu l'heure, il est temps pour nous de commencer la classe.

— Bien sûr !

Mon fils s'approcha de moi et me fit signe pour que je me penche. Il avait quelque chose à me dire à l'oreille :

— Déchire tout, maman.

Il se redressa, comme un petit coq.

— À ce soir !

Il rentra dans l'école, suivi de la directrice à laquelle je fus incapable de répondre à son « bonne journée ». Que venait-il de me tomber sur la tête ? Mon fils me lançait un défi. Un défi de la plus haute importance : ne pas lui faire honte auprès de son amoureuse et de sa famille avec mes défauts, ma désorganisation et mon étourderie. J'entendais déjà les moqueries de Fabrice.

Quelques secondes plus tard, une fois revenue sur terre et un peu écrasée par le poids de cette responsabilité, dont je me serais bien passée, je traversai la rue et poussai la porte de la brasserie en face de l'école. Je scannai la salle et tombai sur le regard noir d'un homme en costard. Pas vraiment la dégaine d'un pâtissier. Forcément, mes retards légendaires à l'école ne me permettaient pas de connaître les parents des petits copains de mon fils, encore moins les parents des amoureuses ! En revanche, ma réputation devait me précéder. Je pris sur moi, décochai à nouveau mon plus beau sourire – j'allais finir par avoir mal aux zygomatiques – et avançai dans sa direction. Arrivée devant la table, je tendis la main.

— Bonjour, vous devez être le papa de Louise. Je suis Sophia, la maman…

— De Dimitri, je sais.

Il me donna une poignée de main virile. En réalité, il me broya les doigts. Je n'eus qu'une envie : partir de là.

— Donnez-moi le numéro de votre femme pour que nous nous organisions ensemble. Je suis désolée, je ne vais pas pouvoir rester, on m'attend au bureau.

— Oh si, vous allez rester. Ça fait plus de vingt minutes que je poireaute.

— Écoutez, je suis navrée que vous ayez attendu, mais je ne pouvais pas deviner ce qui allait me tomber sur la tête ce matin.

— Moi non plus, figurez-vous !

Sans plus se préoccuper de moi, il fit signe à un serveur et commanda deux cafés. Ne me restait plus qu'une chose à faire : m'asseoir et faire la conversation avec ce type absolument pas charmant. *C'est pour ton fils.*

— Donc ? lui demandai-je. Je vous écoute !

— Ma femme a été mutée, elle est déjà partie. Avec Louise, nous la rejoignons dans une semaine, son dernier jour d'école est le jour de l'anniversaire. Je suis seul pour m'occuper du départ. Je compte sur vous pour gérer l'intendance du goûter. Ne lésinez pas sur les achats, les courses, ballons, serpentins et toutes les conneries nécessaires, je paierai.

Sidérée par son aplomb, je m'enfonçai dans mon fauteuil en le laissant continuer.

— Je veux que ce soit une vraie réussite pour Louise. Vous comprenez, c'est dur pour elle. Elle prend mal le déménagement, il faut que ça soit un beau et bon souvenir pour elle.

Je bus mon café à petites gorgées en prenant mon temps, sans le quitter des yeux, je devais à tout prix canaliser l'énervement qui enflait en moi. Puis, je me lançai :

— Vous ne m'avez toujours pas dit comment vous vous appeliez. Nous sommes entre gens civilisés, n'est-ce pas ?

Il se tendit.

— Éric. Venez-en au fait !

— Eh bien, cher Éric. Soyez sûr que je compatis. Les déménagements sont toujours difficiles pour les enfants et épuisants pour les parents. J'imagine que pour votre femme aussi, cela doit être compliqué, être loin de sa fille et de son mari durant une période telle que celle-ci.

Il se fendit d'un sourire en coin, sûr de lui et de sa victoire. Il allait vite déchanter.

— Parfait ! Je vous remercie, me dit-il, prêt à se lever. Je vais vous donner ma carte. Tenez-moi...

— Minute papillon ! Je n'ai pas fini.

Il se renfrogna.

— Je ne me taperai pas le sale travail toute seule. Il en est hors de question. Nous avons été tirés au sort tous les deux, ça ne m'arrange pas plus que vous, mais nous n'avons pas le choix. Vous allez mettre la main à la patte.

— Mais…

— Il n'y a pas de *mais* ! Vous voulez que ce soit une réussite pour votre fille, ça tombe bien, je veux que ça en soit une pour mon fils. Là-dessus, nous sommes d'accord. Dites-vous une chose, je déteste ce genre de truc. J'ai toujours fait mon maximum pour passer entre les mailles du filet. Pourtant, je vais le faire pour mon fils, même si ça représente un véritable casse-tête, parce qu'il a envie d'un beau goûter d'anniversaire à l'école, avec une maman qui fait son maximum. Et quelque chose me dit que Louise serait encore plus heureuse si son cher papa s'impliquait autrement que par le biais de sa carte bancaire. Sur ce, je vous laisse, les cafés sont pour moi.

Il me fixait les yeux grands ouverts. Je lui avais cloué le bec. Bien fait ! Je déposai un billet de 5 euros sur la table et quittai la brasserie sans faire plus de cas de lui. Une fois sur le trottoir, je regardai ma montre et courus en direction de ma voiture. J'allais arriver encore plus en retard que d'habitude au travail !

Le soir même, Fabrice enchaîna les fous rires à partir du moment où il apprit mes mésaventures du matin. Dès qu'il me regardait, il explosait en se tapant sur les cuisses. D'autant plus que durant tout le dîner, Dimitri me mit une pression du tonnerre en évoquant les ricanements de ses copains à l'idée du tandem de parents en charge du goûter. L'annonce officielle avait été faite dans la journée. *Génial...* Enseignants, élèves et parents nous attendaient au tournant. Il en remit une couche au moment d'aller au lit.

— Maman, tu me promets que ça va être génial ? Tu vas faire plein de gâteaux, hein ?

— Oui, mon chéri.

— Louise m'a dit que son papa était trop fort.

Pas si sûr...

— Je n'en doute pas.

— Vous allez faire quoi ?

— Oh, je ne sais pas encore ! Allez, dors maintenant.

Je rejoignis le salon et m'écroulai dans le canapé à côté de Fabrice.

— Tu ne peux pas reporter ton déplacement, et t'occuper du goûter à ma place ? le suppliai-je.

— Et puis quoi encore ! Dire que je vais rater ça ! Un grand show en perspective !

Voilà, c'était reparti ! Il riait à nouveau à gorge déployée.

— Il y a quand même quelqu'un que je plains.

— Moi, j'espère !

— Pas le moins du monde ! C'est le père de Louise que je plains, le pauvre, il ne sait pas sur qui il est tombé avec toi.

Je lui mis une calotte sur la tête.

— Il est con comme ses pieds, ce type, m'insurgeai-je. Le pire, c'est que j'ai oublié de lui demander son numéro.

— Essaye d'arriver à l'heure demain matin, me conseilla Fabrice. Pour Dimi…

Évidemment, j'étais encore plus en retard que la veille. J'arrivais devant la grille de l'école, pas coiffée, la marque de l'oreiller encore sur la joue, malgré la douche froide, et déjà en nage. Mon comité d'accueil quotidien était plus grand que d'habitude puisque le papa de Louise s'était joint à la fête.

— La honte, souffla Dimitri.

Je me sentis encore plus mal.

— Salut champion ! lui lança le fameux Éric.

— Bonjour, lui répondit mon fils d'une toute petite voix.

— File ! intervins-je. À ce soir, travaille bien.

J'eus droit au sourire indulgent de la directrice. Une fois qu'elle eut disparu avec mon fils, je soupirai un grand coup. Puis, je me souvins du père de Louise. *Journée pourrie.* Je me redressai, prête à l'attaque, et me retournai vers lui. Il se fendit du même sourire en coin que la veille. Cependant, il semblait avoir un peu perdu de sa superbe.

— Bonjour Sophia, me dit-il d'une voix étrangement gentille.

— Éric.

— Les cafés sont pour moi, aujourd'hui. Vous n'êtes pas à un quart d'heure près, conclut-il avec un clin d'œil.

Nouveau soupir. Puis, je passai devant lui et traversai la rue. Arrivée dans le café, je m'accoudai au bar. Hors de question de traîner. J'étais vexée de m'être encore fait prendre la main dans le sac.

Tout comme moi, il resta silencieux en attendant qu'on nous serve.

— Je tenais à m'excuser pour mon comportement d'hier, finit-il par déclarer, ce qui me fit tourner le visage vers lui. J'ai déchargé une partie de mes nerfs sur vous. En vous attendant, par téléphone, j'ai eu droit à une crise de ma femme, désespérée à l'idée de rater le goûter d'anniversaire de Louise à l'école… et j'ai un problème avec la ponctualité…

— Moi aussi.

On échangea un regard avant d'éclater de rire en nous affalant sur le comptoir ! Le barman nous observait complètement ahuri.

— Ma femme vous remercie, réussit-il à me dire entre deux rires.

— Ah bon ? Pourquoi ?

— De m'avoir remis à ma place alors que je cherchais à m'esquiver et à ne rien faire pour l'anniversaire. Je me suis pris une sacrée engueulade hier soir en lui racontant notre petit échange.

— À son service ! Pour tout vous dire, mon mari vous plaint, lui annonçai-je en riant de plus belle, des larmes au coin des yeux.

— Pourquoi ?

— Vous êtes tombé sur la pire mère de famille de l'école question pâtisserie.

— On est mal barrés !

— À qui le dites-vous ! Je ne sais pas pour Louise, mais Dimitri me met une sacrée pression.

— J'ai la même à la maison.

— Éric, nous avons un défi à relever. On va se remonter les manches.

La glace était brisée, et c'était bien agréable.

Nous échangeâmes nos numéros de téléphone en nous promettant de réfléchir chacun de notre côté à des idées et de nous tenir au courant dans le week-end. Puis la conversation dévia de façon naturelle sur la pluie, le beau temps, nos enfants, nos métiers, son déménagement. Un second café arriva sous notre nez, et la discussion se poursuivit. Autant la veille, j'étais prête à sauter à la gorge de ce type qui me semblait totalement coincé dans son costard cravate, autant aujourd'hui, je passai un moment, il fallait le dire, assez délicieux en sa compagnie. Il était vif, drôle, non dénué d'auto-dérision. Sans oublier qu'il avait une façon bien particulière et subtile de me charrier sur mon étourderie et mes retards. Je devais reconnaître que ça changeait des moqueries parfois un peu lourdes de Fabrice ou de nos amis. Ce qui, à la réflexion, était un peu normal ; douze ans de vie commune et une dizaine d'années d'amitié étaient passés par là.

— Sophia, me dit-il en me regardant droit dans les yeux. Vous avez une très mauvaise influence sur moi.

— Qu'est-ce que j'ai encore fait de mal ?

— Rien de grave, me rassura-t-il un grand sourire aux lèvres. Mais je n'aurais jamais été aussi en retard de toute ma vie professionnelle. Il est presque 10 heures.

J'ouvris les yeux comme des billes.

— Je vais me faire tuer par mon patron, lui répondis-je en riant une fois de plus.

— Quelque chose me dit que vous avez l'art et la manière de l'embobiner et qu'il vous pardonne tout.

En moins de dix secondes, on se retrouva sur le trottoir, à se regarder comme deux idiots, ou plutôt comme deux collégiens qui venaient de faire l'école buissonnière.

— Merci pour les cafés, lui dis-je.

Il balaya ma phrase d'un revers de main.

— On s'appelle pour les enfants ? me demanda-t-il.

— Oui.

— Bonne journée Sophia, et bon week-end.

— Vous aussi.

Je tournai les talons, avec une drôle d'impression. Je secouai la tête de droite à gauche pour reprendre pied dans la réalité. Comme si je quittais une bulle où le temps, les responsabilités de travail et de mère de famille n'avaient plus eu de prise. Ce fut plus fort que moi, je jetai un coup d'œil par-dessus mon épaule. Éric venait de faire le même geste. Nous échangeâmes un dernier sourire. Puis, je me mis à courir.

Notre week-end fut assez tranquille. La routine ; le basket de Dimitri, les courses, le dîner du samedi avec des copains, et deux vraies grasses matinées bien méritées. Je dus pourtant me mettre au travail et chercher des idées de recette pour le goûter d'anniversaire. Je surfais sur Internet, sans rien trouver d'envisageable en raison de mes piètres qualités de cuisinière. Régulièrement, j'échangeai des SMS avec Éric, qui évidemment ne trouvait rien de son côté. J'essayai bien à un moment de tendre une perche pour qu'il demande un coup de main à sa femme. Il me vit venir avec mes gros sabots et refusa net : c'est ma fierté masculine qui est en jeu, Sophia. Je sais me débrouiller sans elle. Et puis, vous êtes là, vous ! Je lui répondis d'un smiley qui tire la langue. Hilare, Fabrice suivait de loin nos échanges, tout en préparant son déplacement, il prenait la route dès le lundi matin et ne reviendrait que le vendredi soir.

Une fois n'est pas coutume. J'ouvris les yeux au petit matin, totalement réveillée, l'esprit en alerte. Je me tournai et me blottis dans les bras de Fabrice. La raison de mon réveil était limpide ; je n'avais pas envie qu'il parte.

— C'est un miracle, murmura-t-il. Tu vas être debout pour me dire au revoir.

— Comme quoi, tout arrive... Tu vas me manquer...

— Toi aussi, mais tu vas être occupée toute la semaine. J'attends ton compte rendu avec impatience.

Une heure plus tard, la voiture de Fabrice disparaissait. J'étais douchée, habillée, maquillée et je préparai un vrai petit déjeuner à un Dimitri qui m'observait la bouche grande ouverte, comme si un Ovni avait pris ma place.

— On va vraiment arriver à l'heure à l'école ?

— Il semblerait, Dimi. Je te promets d'essayer de faire des efforts.

— Il est un peu tard, maman. Je suis en grandes vacances la semaine prochaine.

— C'est un bon début, non ?

Il leva le pouce en signe de victoire.

Le chemin vers l'école fut paisible, tranquille. J'eus l'impression d'ouvrir les yeux sur un autre monde, un monde où j'avais du temps pour discuter avec mon fils, faire des sourires aux parents d'élèves croisés – tous sidérés de me voir –, un monde où je ne commençais pas la journée en sueur, mais avec le sentiment d'être fraîche et pimpante après une douche qui avait dépassé les deux minutes chrono en main. Mais ce qui me fit le plus plaisir fut la fierté de Dimitri ; il se tenait droit et n'avait pas ce visage figé par la honte et l'angoisse d'être en retard. La directrice de l'école n'en crut pas ses yeux en nous voyant prêts à la grille. Au même instant, Louise arrivait avec son papa. Dimitri s'éloigna de moi à toute vitesse, comme s'il était monté sur ressort. Les deux enfants se regardèrent avec des yeux de merlans frits. J'eus les plus grandes difficultés à m'empêcher de rire, tant je les trouvais mignons.

— Bonjour Sophia.

Je détournai les yeux de cette scène, et les levai vers Éric.

— Bonjour, lui répondis-je un grand sourire aux lèvres.

— Vous êtes tombée du lit ?

— Oh, ne commencez pas à vous moquer de moi ! lui rétorquai-je en riant. Mon mari est parti tôt en déplacement ce matin, me voilà toute seule pour la semaine.

Pourquoi je lui dis ça ?

— Ah… et…

— Papa ! nous interrompit Louise. Je peux y aller. Lâche-moi.

Éric eut un léger mouvement de recul avant d'apporter toute son attention à sa fille. Je me tournai vers mon fils.

— Vas-y toi aussi, lui dis-je. Passe une bonne journée.

J'embrassai ses cheveux.

— Maman, ça va ? Tu as une tête bizarre !

— Euh... ah bon ? Tout va bien, je me suis simplement réveillée trop tôt, lui répondis-je avec un clin d'œil.

Dimitri attrapa la main de Louise et ils partirent en courant dans la cour de l'école, sans plus se préoccuper de nous. Je me tournai vers Éric qui ne lâchait pas sa fille des yeux. J'eus plutôt l'impression qu'il mettait tout en œuvre pour éviter mon regard.

— Que fait-on pour l'anniversaire ?

— Sophia, je n'ai pas le temps pour un café ce matin.

— Ah... d'accord... mais c'est vendredi, et on n'a toujours rien décidé.

— Je sais, soupira-t-il en daignant me regarder.

Serait-il lunatique ? La complicité et la spontanéité de nos échanges virtuels du week-end ou de l'instant d'avant s'étaient envolées comme par magie. Une certaine gêne, inexplicable, semblait avoir envahi l'atmosphère.

— Il y a un problème, Éric ?

Il se gratta la tête.

— Non, pardon... Je suis simplement inquiet pour Louise, c'est sa dernière semaine, et quand je la vois avec votre fils, je me dis que le départ va être douloureux...

— C'est sûr qu'ils font la paire, tous les deux. Raison de plus pour réussir ce goûter, lui dis-je avec un petit sourire.

— Oui... vous êtes garée dans le coin ?

— Près de chez moi. Un peu plus loin.

— Je vous accompagne à votre voiture.

Il s'apprêta à poser sa main dans mon dos pour me guider, mais il suspendit son geste à la dernière minute. En longeant les grilles de l'école, j'aperçus Dimitri et son amoureuse en grande conversation. Ça me détendit.

— Alors, toujours pas l'âme d'un pâtissier ? demandai-je à Éric.

Il éclata de rire. Bizarrement, ça me rassura.

— Absolument pas ! Mais j'ai réfléchi, me dit-il malicieusement. Que diriez-vous, chère Sophia, de donner une leçon à tous ces parents exemplaires ?

— J'adorerais, mais comment ?

— On ne va pas se transformer en sculpteur de sucre glace. On va jouer la carte de la simplicité. Quand j'étais gamin, du moment qu'il y avait du chocolat, des bonbons et du Banga, j'étais heureux.

— Vous venez de dire du « Banga » ?

— Bah, oui. Pourquoi ça vous choque ?

— Je préférais la limonade.

— Va pour la limonade, des litres de limonade pour la demoiselle !

Ce fut à mon tour d'éclater de rire.

— Je devrais être capable de faire un gâteau au chocolat et un au yaourt, affirmai-je, presque sûre de moi.

— Mais oui, et je vous aiderai ! En même temps, je dis ça, mais ma cuisine est vide, tout est dans les cartons.

— Vous n'allez pas vous défiler ! Vous viendrez chez moi exprimer votre nouveau talent de pâtissier !

— Je peux faire les courses si vous voulez. Disons jeudi soir ?

— Parfait ! Je récupère Louise à la sortie de l'école. Ils seront contents de jouer plus longtemps ensemble.

— En revanche, Sophia, vous pouvez faire la liste des courses ? J'en suis strictement incapable.

— Ça, je sais faire ! Je vous la donne demain matin.

Nous venions d'arriver devant ma voiture. Et je réalisai qu'il nous avait fallu de longues minutes pour faire ce minuscule trajet, tant nous nous étions emballés.

— Je croyais que vous étiez pressé, Éric.

Il regarda en l'air, à droite, à gauche, en soufflant.

— C'est vrai, je dois filer. Bonne journée.

— Vous aussi, à demain.

Il planta ses yeux dans les miens.

— Le temps passe assez vite avec vous.

Je n'eus pas la possibilité de lui répondre, il détala comme un lapin. Quant à moi, durant de longues secondes, je ne bougeai pas. Je restai, plantée là, sur le trottoir, sans quitter sa silhouette des yeux.

Les jours suivants passèrent à la vitesse de l'éclair. Comme me l'avait prédit Fabrice, je n'avais pas le temps de m'ennuyer de lui, entre le travail, Dimitri, et la préparation de l'anniversaire. La seule pause était mon brin de causette avec Éric chaque matin lorsqu'il m'accompagnait à ma voiture où nous parlions de tout sauf du goûter.

Jeudi soir. Louise et Dimitri jouaient dans le jardin pendant que je faisais le point sur ma batterie de cuisine. J'avais retrouvé au fond d'un placard un batteur à œufs, plus vieux que moi. J'entendis une voiture se garer devant chez nous. Quelques minutes plus tard, j'ouvrais à Éric la porte d'entrée.

— Ça a été ? lui demandai-je. Je peux vous décharger de quelque chose ?

— C'est bon, je vous remercie. Dites-moi simplement où est la cuisine.

Il me suivit, déposa son fardeau sur la table, et se dirigea vers sa fille au son de sa voix. D'une oreille, j'écoutais la conversation qui s'entama entre eux deux et Dimitri. Pendant ce temps, je vidai les sacs et tombai, à ma grande surprise, sur une bouteille de vin.

— J'ai pensé que ça serait sympa pour nous donner des forces, dit Éric dans mon dos. Ou ça peut être une récompense, comme vous voulez.

Je lui jetai un regard par-dessus mon épaule.

— Récompense, c'est plus raisonnable. Mais l'espace d'un instant, je me suis demandé si vous ne vouliez pas soûler les enfants demain.

— La vilaine maîtresse, plutôt !

Une heure et demie plus tard, nous enfournions le quatrième gâteau, la cuisine était un vrai champ de bataille. Des bouts de coquilles d'œufs et des pépites de chocolat jonchaient le carrelage. J'avais de la farine sur le nez, sur les joues et sur mes vêtements. Éric était déclaré blessé de guerre depuis qu'il s'était brûlé avec les plaques du four et qu'une cloque géante avait fait son apparition sur son poignet. Et nos enfants ne jouaient plus puisqu'ils avaient préféré assister au spectacle que leur père et mère respectifs leur offraient. Je m'écroulai sur une chaise en m'essuyant le visage.

— On la mérite, notre récompense ! s'exclama Éric.

— Je crois bien que oui.

Je me relevai illico presto pour lui donner le tire-bouchon, sortir deux verres à pied, et faire une carafe de grenadine pour les enfants.

— Papa, on ne part pas tout de suite ? s'inquiéta Louise.

Il se tourna vers elle.

— On boit notre verre et on rentre à la maison, après.

— Pas déjà !

L'intervention de Dimitri affolé fit écho à mes pensées, subitement tout aussi affolées.

— J'ai des pizzas au congélateur, annonçai-je timidement. C'est bientôt les vacances, les enfants peuvent se coucher plus tard. Enfin... je dis ça, vous avez forcément mieux à faire... il n'y a aucune obligation... mais... euh... avec le déménagement imminent, c'est peut-être plus simple pour vous.

Éric riva son regard au mien.

— Dis oui, papa ! Allez !!

Les secondes me parurent des heures.

— On reste, dit-il sans me quitter des yeux.

— Yes ! s'exclamèrent en cœur les enfants avant de disparaître.

Main dans la main, ils partirent en courant jouer dans le jardin. Éric nous servit du vin et me tendit un verre. Nous trinquâmes sans dire un mot. Cette gêne subite était insupportable et je refusai que ça gâche la soirée.

— On peut être fiers de nous, non ?

— Oui... merci pour l'invitation à dîner.

— Ça fait plaisir aux enfants... et à moi, aussi. On mange dehors ?

— C'est vous qui décidez.

Après un dîner animé par leur soin, les enfants repartirent jouer une dernière fois dans le jardin. Éric et moi ne bougions pas de notre place. Les gâteaux étaient sortis du four. Durant la cuisson des pizzas, nous avions réparti et dispatché les bonbons dans des sachets individuels pour les vingt-huit élèves de la classe. Tout était prêt pour le grand jour. Il remplit à nouveau nos verres et se carra au fond de sa chaise en me fixant. Je préférai détourner les yeux et me concentrer sur les enfants qui ne se lâchaient pas. Ils étaient si mignons, si innocemment amoureux du haut de leurs presque huit ans.

— Vont-ils garder un souvenir de leur amourette ? lui demandai-je à voix basse. Vous croyez qu'ils s'en souviendront avec nostalgie dans quelques années ?

— Il va être temps d'y aller.

Il se leva. Je l'écoutai demander fermement à sa fille de rassembler ses affaires. Puis, je débarrassai la table. Quelques minutes plus tard, je sentis la présence d'Éric dans la cuisine. Il déposa le reste de la vaisselle sale sur le plan de travail et la bouteille de vin… vide.

— Merci… laissez. Je m'occupe de tout déposer à l'école demain matin.

— Vous êtes sûre ? Vous n'avez pas besoin de mon aide ?

— Non, vous allez être occupé. C'est aussi bien comme ça.

— Sophia ?

Je restai sans bouger devant mon évier, sans oser lever les yeux.

— Regardez-moi, s'il vous plaît.

Je lui fis face. Il détailla mon visage.

— Comptez sur moi pour aider Louise à se souvenir de Dimitri et de sa maman.

Il leva sa main, et la posa sur ma joue qu'il caressa délicatement.

— Il vous reste de la farine.

— Vous savez aussi bien que moi que j'avais tout enlevé.

Nous échangeâmes un sourire. Un dernier mouvement du pouce sur ma peau, et sa main retomba.

— Papa, je suis prête, annonça Louise d'une voix tristounette depuis l'entrée.

Il tourna les talons. Je le suivis jusqu'à la porte. Il ébouriffa les cheveux de Dimitri et attrapa sa fille par la main. Je pris contre moi mon fils, boudeur.

— Bonne nuit, leur dis-je à tous les deux.

— Vous aussi, Sophia, murmura Éric avant de partir en direction de sa voiture.

Je refermai la porte et soupirai profondément. Ensuite, tout en essayant de lui remonter le moral – en vain –, je couchai Dimitri. Une fois au lit, j'attrapai mon portable et tentai d'appeler Fabrice, sans grand espoir puisqu'il était en dîner professionnel. Pourtant, il décrocha.

— Je suis heureuse de t'entendre, tu me manques.

Il me manquait tellement que j'en perdais les pédales.

— Toi aussi. Ça a été la cuisine avec le papa de Louise ? Ils sont restés dîner, j'espère. Avec leur déménagement, ça doit être la plaie pour eux.

— Oui, je leur ai dit de manger avec nous.

— Tu as eu raison, et ça a dû être plus sympa pour toi. Comment va Dimi ?

— Cafardeux…

— Je m'en doute, chagrin d'amour... Dis-lui demain matin que son père va prendre les choses en main dès son retour. Ce week-end, discussion entre hommes.

Merci, mon Dieu, Fabrice me faisait encore rire !

— File retrouver tes collègues. Bonne soirée.

— Je t'embrasse, ma petite pâtissière.

Les réveils matinaux n'allaient pas devenir une habitude, me voilà rassurée. La panique générale était de retour. Sa tartine à la bouche, Dimitri m'aida à charger les préparatifs du goûter dans la voiture. Le voir partagé entre l'excitation pour l'anniversaire et la tristesse de perdre Louise me tordait le ventre. Mon fils grandissait, et bientôt, les câlins de sa mère ne suffiraient plus à lui mettre du baume au cœur. En revanche, que nous nous garions en barbare devant l'école sous les applaudissements de Louise lui plut énormément.

— C'est le grand jour, lançai-je à la volée en ouvrant la portière.

La directrice se fendit d'un grand sourire. Jusqu'au dernier moment, elle ne m'aura pas fait confiance. Elle ne *nous* aura pas fait confiance. Éric s'approcha de moi. Je lui souris.

— Je vous avais dit que je pouvais me débrouiller sans vous.

— Et rater cette arrivée tonitruante ! Hors de question.

Il m'aida à vider le coffre et nous pénétrâmes l'un à côté de l'autre dans la cour de l'école. *Madame* la directrice nous escorta jusqu'aux cuisines. Après un examen minutieux de nos préparatifs, elle soupira profondément.

— Merci d'avoir fait simple ! Enfin des parents qui ne sont pas dans la compétition.

Éric me fit un clin d'œil. La directrice enchaîna en s'adressant à lui :

— Quel dommage que vous déménagiez, parce que je vous aurais demandé de reformer votre tandem l'année prochaine.

— N'ayez pas de regret, ça aurait perdu de son charme. Les secondes fois sont bien souvent décevantes.

— Peut-être... Allez, il est temps de rejoindre mes élèves.

Nous traversâmes à nouveau la cour, non sans dire au revoir à nos enfants et leur faire promettre de profiter de la journée. Ma voiture était toujours en warning sur le trottoir. J'ouvris la portière et balançai mon sac à main à l'intérieur.

— Défi relevé haut la main, dis-je à Éric en lui faisant face.

— Pas de dernier café ?

Je lui souris.

— Vous venez de le dire, ça perdrait de son charme.

Il inclina la tête en souriant.

— Quand partez-vous ? lui demandai-je.

— On prend la route ce soir. Louise va avoir besoin de sa maman et moi...

— Très bonne idée. Petit conseil : abrégez les adieux à la sortie de l'école.

Je lui tendis la main, comme lorsque nous nous étions rencontrés. Il me la serra beaucoup plus délicatement que la première fois en me regardant dans les yeux.

— Bonne continuation, Sophia.

— Merci, vous aussi et... bonne installation.

Je lui souris une dernière fois et nous nous lâchâmes. Puis, je grimpai dans ma voiture, en soufflant un grand coup. Éric s'éloigna en passant la main dans ses cheveux.

16 h 30. Je patientais volontairement le long de la grille, à une vingtaine de mètres de la porte de l'école, où le papa de Louise attendait. Brusquement, des mains me couvrirent les yeux. La joie me fit trembler des pieds à la tête.

— Ça fait cinq minutes que je t'observe de l'autre côté de la rue, me murmura Fabrice à l'oreille. Tu es belle...

Il embrassa mes cheveux, puis me rendit la vue. Je me retournai prête à me blottir dans ses bras. Il prit mon visage en coupe et riva son regard au mien.

— Belle surprise. Merci...

— Je m'en voulais de ne pas avoir été là cette semaine. C'était important pour Dimi et toi...

— On s'en est sortis.

— À ce point-là ? Tu es prête à recommencer ?

— Jamais de la vie !

Il rit.

— Me voilà rassuré, j'ai cru que ça allait te changer.

Je n'eus pas le temps de lui répondre, Dimitri arriva comme un boulet de canon contre nous. Parents indignes que nous étions... concentrés sur la joie de nous retrouver et pas sur notre fils...

— Alors, Dimi ? Raconte l'anniversaire ! Maman a bien travaillé ? lui demanda Fabrice en hissant notre grand garçon dans ses bras.

— Elle est partie, lui répondit-il avec des tré-molos dans la voix.

Mon visage se tourna vers la porte de l'école. Dimitri avait raison : ils avaient disparu. Depuis que Fabrice était là, le reste m'était sorti de la tête... Je participais au câlin général en passant mes bras autour de mon fils et de mon mari.

— C'est toujours difficile de dire au revoir à des amis, lui apprit son père.

Puis il me fit un clin d'œil, auquel je répondis par un grand sourire.

— Merci d'être rentré plus tôt, tu nous as manqué.

Bernard MINIER

L'Échange

ou
Les Horreurs de la Guerre

« Richthofen, a dit quelqu'un.

— Voss, a dit un autre.

— Falkenberg, a dit Vassiliev. L'Aigle de Lübeck. »

Un silence, pendant lequel on a entendu la pluie tomber.

« C'est vrai. Les Boches n'en ont pas de plus redoutable, a finalement admis Ferraud.

— Sûr, a dit Hantelme.

— Falkenberg, c'est l'as des as, a ajouté Vassiliev. La Mort avec trois ailes et une mitrailleuse. »

Une voix puissante s'est élevée depuis la porte :

« Qui a dit ça ? Qui a dit ça ? Comment osez-vous traiter d'as ce criminel ? Ce boucher ! Ce déséquilibré ! »

C'était des Réaux, le baron. Il s'est avancé vers nous, enveloppé dans sa houppelande à col de loutre, ses lunettes d'aviateur et sa moustache blonde ruisselantes à cause de la pluie battante qui tombait dehors.

« Il ne respecte aucune des lois de la guerre ! Du côté d'Amiens, il a mitraillé des femmes qui travaillaient aux champs !

— On dit même qu'il a mitraillé des enfants sur

193

le chemin de l'école. C'est un lâche ! » a renchéri quelqu'un dans la salle.

Des Réaux l'a foudroyé du regard, puis a baissé la tête. La pluie tambourinait sur le toit du mess avec une violence redoublée.

« Pas un lâche. Ne dites pas ça ! Ne dites pas ça ! Pas un lâche, hélas… Aucun pilote ne montre plus de courage que lui… pas même Nungesser… Il a appelé son avion *Trompe-la-Mort*… Et croyez-moi, messieurs, c'est un nom mérité… Je sais de quoi je parle : je l'ai vu en action… »

Pilotes et rampants se sont rapprochés : les histoires sur Falkenberg, c'était un peu comme le Roi des Aulnes pour les enfants des Boches – peur et curiosité mêlées, l'écho des sombres forêts germaniques et d'un obscur effroi.

« C'était en août, l'année dernière. J'avais été abattu prématurément, mais j'ai réussi à poser mon Morane dans un pré. Là-haut, il y avait trois des nôtres et deux Boches, dont Falkenberg. C'était assez surprenant. L'Aigle, c'est comme Guynemer – un solitaire. D'ordinaire, il aime voler seul. Les nôtres ont réussi à abattre le premier Boche, puis ils l'ont pris en chasse… Mais la proie n'a pas tardé à se changer en chasseur, messieurs. J'ai tout vu dans mes jumelles. C'était magnifique. Et terrible. Et incompréhensible. Un aigle pris de folie. Là-haut parmi les nuages, il se jouait d'eux avec une facilité… déconcertante… inhumaine… Un de nos avions est tombé… puis un deuxième… Le troisième a tenté de fuir et je les ai perdus de vue. Mais vous savez comment ça s'est fini. Puisque le troisième, c'était Massart. »

De nouveau, le silence. Le baron a fait signe au garçon.

« Un autre. »

Il a levé son cordial en direction de la petite assemblée – ou plus vraisemblablement en direction du ciel.

« Mais je vous en fais le serment, messieurs : si je rencontre un jour l'Aigle là-haut, je me jetterai sur lui et l'entraînerai dans ma chute s'il le faut – mais je l'aurai. »

Le Baron a reposé son verre, et il est sorti.

★
★ ★

J'ai appris la mort du Baron deux semaines plus tard. Il avait trouvé Falkenberg. Ou peut-être était-ce Falkenberg qui l'avait trouvé. Quatre jours après, nous avons perdu deux autres pilotes. Puis trois la semaine suivante. Des histoires bizarres ont commencé à circuler : il se disait que certains pilotes avaient vu Falkenberg d'assez près lors des combats et que son visage n'était pas humain, mais monstrueux. Une autre histoire racontait qu'un pilote survolé par Falkenberg avait reçu un bébé mort sur les genoux. Ce genre de choses… Des histoires comme en racontent les hommes oisifs – et les soldats le sont souvent en temps de guerre. Nous étions en 1917.

Notre escadrille était composée d'un pittoresque ramassis de hobereaux farfelus et d'aristocrates fortunés qui possédaient tous leurs propres avions, et d'hommes de troupe attirés par le parfum de l'aventure. Nous pilotions nos appareils dans les tenues les plus extravagantes : bottes de cheval ou

brodequins, vestes en fourrure ou de cuir emprun-
tées à des sapeurs, un bas de femme noué autour du
cou. J'avais obtenu mon brevet civil sur Nieuport
en août 1914, mon brevet militaire six mois plus
tard sur Caudron. Le 6 juin 1916, j'avais décroché
ma cinquième victoire homologuée (en réalité la
huitième, trois autres avaient eu lieu sans témoins) :
on m'avait alors cité comme « as » au Communi-
qué des Armées ; je n'étais qu'un jeune aristocrate
insouciant et moyennement fortuné en ce lointain
été 1917. Ce passé est depuis longtemps sorti des
consciences modernes – à part peut-être quelque
amateur de vieux coucous – mais il n'est jamais
sorti de la mienne : *J'ai cent treize ans aujourd'hui.*
C'est mon anniversaire. Mais je me souviens de tout.
    Le temps menaçait le jour où j'ai enfin fait la
connaissance de Falkenberg. C'était un jour de mai
orageux, électrique – qui devait voir le deuil de mon
innocence et l'irruption du mystère. Le mois d'avril
avait été meurtrier pour les escadrilles anglaises. Du
2 au 29, le « baron rouge » Manfred von Richthofen
avait taillé en pièces leurs avions dans une orgie de
combats comme on n'en avait encore jamais vu.
Farbus et Givenchy le 2 avril. Bapaume le 3. Le 5,
le 7, le 8, le 11, Bapaume, Farbus, Vimy, Étaing…
Monchy le 13. Le 14, Douai. Le 22, le 23, le
28, Lagnicourt, Méricourt, Pelves… Les nouvelles
qui parvenaient du front étaient chaque jour plus
mauvaises. La Mort planait au-dessus de nos lignes
sous la forme d'un Fokker triplan rouge. Mais il y
a une vision que nos pilotes craignaient plus encore
que celle du Fokker rouge de Richthofen : celle,
dans la lumière indécise de l'aube ou du crépuscule

– car c'était là ses heures de sortie –, du triplan noir de Falkenberg.

Le matin du 7 mai, je me suis dirigé vers mon zinc en compagnie de deux autres pilotes. Cela faisait une dizaine de jours que le triplan rouge n'était pas reparu et l'espoir qu'il eût été abattu commençait à naître. Une ligne de nuées sombres avançait de l'est comme une armée en marche, un vent assez violent courbait la ligne des peupliers au bout du terrain, mais depuis trois jours la météo nous interdisait toute sortie et nous piaffions d'impatience devant nos biplans inertes. La pluie avait cessé, ce matin-là. Et bien que le terrain fût détrempé, nous avions quand même tiré les appareils hors des Bessonneaux dans l'espoir qu'une sortie serait enfin possible. Nos Spad attendaient sur l'herbe, pareils à des oiseaux de proie. Autour d'eux, les mécanos vérifiaient les moteurs et réglaient la tension des haubans. Je me suis hissé à bord. Albert, mon premier mécanicien, m'a fait un signe et il est redescendu de la petite échelle appuyée au moteur. J'ai contrôlé les instruments. Les cales ont été retirées. Les mécanos ont fait tourner les hélices.

Nous avons mis le cap à l'est, mes compagnons et moi, nous dirigeant vers une barrière de nuages dressés comme de hautes falaises au bord du ciel, gorgés de pluie et de foudre. L'électricité dans l'air ne faisait qu'aiguiser mes nerfs et fouetter mon sang en ébullition. Le combat me manquait. Comme la plupart des pilotes, j'étais devenu accro aux passes d'armes et aux acrobaties aériennes. Tandis que le sol s'éloignait rapidement, les champs se sont mis à ressembler, dans la lumière qui fusait sous les nuages, à des empiècements de tissus teintés

dans toutes sortes de verts et de bruns et cousus à
même la chair des collines, avec les rivières argen-
tées et les routes blanches pour coutures. Le vent
sifflait dans les tendeurs, mon moulin produisait
un vacarme rassurant. Deux mille mètres. Le froid.
Une demi-heure plus tard, nous entrions dans les
nuages. Ils galopaient tout autour de nous comme
un troupeau et, dans les intervalles, je pouvais
apercevoir le serpent miroitant d'une rivière ou
la tache claire d'un village. Puis, ce fut le front
haché des tranchées françaises et allemandes. Je fus
le premier à sortir des nuages. Soudain, au loin
sur ma gauche, j'ai aperçu trois points noirs. Je
cherchai des yeux mes compagnons de vol, mais ils
étaient encore pris dans la masse cotonneuse et je
saisis mes jumelles. Monoplans ou biplans ? Amis
ou ennemis ? Impossible à dire ; trop de vibrations
secouaient le Spad. Je signalai la présence des nouveaux venus à mes voisins dès qu'ils émergèrent
des nuages, et nous prîmes aussitôt de la hauteur.
Nous avions hâte d'en découdre, si toutefois il
s'agissait de Boches. Quelques minutes plus tard,
dans le binoculaire des jumelles, nous eûmes la
réponse : des biplans marqués de la croix de Malte.
Assourdis par le vacarme de leurs propres moulins,
ils ne nous avaient toujours pas détectés, nous
volions un peu en arrière de leur position. Encore
quelques minutes et nous avons fondu sur eux.
Trois Aviatik aux ailes jaunes. Je me suis rapproché
de ma cible, deux cents mètres, cent, cinquante…
À présent, j'apercevais le pilote qui me tournait
le dos, habillé de cuir noir avec un col de fourrure. Ça y est ! ai-je pensé. J'ai ouvert le feu avec
ma mitrailleuse, en prenant soin de ne pas laisser

mon doigt trop longtemps sur la détente pour ne pas enrayer le mécanisme. La tête du pilote s'est brusquement rejetée en arrière, son avion a piqué du nez et s'est mis en vrille. J'ai cherché des yeux mes compagnons, un deuxième Aviatik tombait en flammes vers le sol lointain, un panache de fumée noire dans son sillage. Le troisième s'était échappé.

L'aube était à peine levée et nous avions déjà épinglé deux Boches à notre tableau de chasse. Mais le temps menaçait. Des éclairs zébraient le ciel au nord, et les nuages ressemblaient de plus en plus à de grosses enclumes. La terre avait disparu derrière les vagues de pluie qui déferlaient comme la fumée des canons. Malgré nos zincs de plus en plus malmenés par les rafales, nous avons tourné encore un moment au-dessus des lignes ennemies sans rencontrer d'autre opposition que les petits nuages de l'artillerie allemande (mais nous étions trop haut pour elle), et mes deux compagnons me firent signe qu'ils rentraient. Je décidai de rester encore un peu. Mon sang bouillait littéralement, comme si j'étais devenu le paratonnerre des énergies électromagnétiques accumulées au cœur de l'orage, le point focal, dérisoire petite coque de métal lâchée au milieu de la colère de titans qui balayait l'Europe. Je survolais une terre qui avalait les morts depuis des siècles, couches sur couches, ossements sur ossements, fleuves de sang après fleuves de sang. Les morts ont leur géographie, qui recouvre parfois celle des vivants. Vus du ciel, les cimetières et les tranchées éclatent au grand jour quand nos vies se déroulent derrière des murs.

Un point noir à l'horizon. Il volait vers moi,

face à moi. Un des nôtres qui rentrait au bercail à cause du temps ? Ou un Boche qui partait au combat ? J'ai eu très vite la réponse, car nous volions l'un vers l'autre : une triple ligne horizontale encadrant le cylindre d'un radiateur – un *triplan*... Il n'existait qu'un seul appareil au monde pourvu de trois ailes – et il était allemand. Le Fokker D.R.I. L'avion de Manfred von Richthofen et de l'Aigle... « Faites qu'il soit noir », me suis-je surpris à penser. Il l'était. *Falkenberg...* Il arrivait droit sur moi. J'étais excité au-delà de toute mesure mais mon cœur n'en pompait pas moins à grands coups le venin de la peur. Il est descendu pour venir se mettre à ma hauteur, avec la légèreté d'une libellule. Nous foncions l'un vers l'autre à plus de cent cinquante kilomètres/heure.

J'ai ouvert le feu le premier.

D'un bond, le triplan noir s'est hissé hors de ma ligne de tir avant de redescendre vers moi et j'ai vu les petites flammes jaillir de ses mitrailleuses.

J'ai piqué vers le bas et il est passé juste au-dessus, peut-être bien à moins de cinq mètres – j'ai cru entendre le rire de Falkenberg derrière le vacarme de mon moteur.

Étrange, hystérique, dément.

J'ai mis les gaz, mais lorsque j'ai jeté un coup d'œil en arrière, une sueur glacée m'a inondé : il était là, calé dans mon sillage. J'ai basculé sur la droite au moment où ses mitrailleuses entraient en action. Je me rappelle avoir entendu les balles siffler. Mon biplan piquait du nez follement, presque à la verticale. À mille trois cents mètres du sol, j'ai tiré sur le manche et l'appareil s'est cabré. Le vent hurlait dans les haubans. J'ai cru un instant qu'il allait se casser en deux mais il s'est stabilisé. J'ai jeté un nouveau coup d'œil derrière moi, me tordant le cou sur mon siège. Falkenberg ! Il est descendu tranquillement à ma hauteur et s'est aligné dans mon sillage, comme un prédateur sûr de tenir sa proie et qui joue avec elle. J'ai incliné mon Spad tantôt à droite tantôt à gauche, violemment, à la limite de la perte de contrôle, au moment même où les balles se remettaient à bourdonner comme un essaim de frelons. Malgré le froid et le vent, la sueur ruisselait sur mon visage. J'ai consulté ma jauge et mes instruments, puis regardé sous le ventre de l'appareil.

Il y avait un plafond de cumulonimbus trois cents mètres plus bas. Je me suis rué dessus. J'ai jeté un regard par-dessus mon épaule et je l'ai vu qui inclinait son zinc et fondait à nouveau sur moi comme un fléau de l'Ancien Testament. Je me suis enfoncé dans la masse cotonneuse. Je ne voyais plus rien, mais je savais qu'il était là, quelque part, me cherchant, attendant que le ciel se dégage. Je n'en continuais pas moins à descendre pour passer au-dessous des nuages, l'œil rivé à l'altimètre. Quand j'ai enfin émergé et regardé encore une fois en arrière, mon cœur a bondi dans sa cage. Il était là ! Ce diable de Boche avait dû descendre presque à la verticale pour se placer en embuscade. Cette fois, pas le temps de faire quoi que ce soit. Les balles ont déchiqueté les ailes du Spad. J'ai senti comme un coup de poing dans le dos, puis le sang chaud s'est mis à couler sous ma tenue. Le sol était proche. Je voyais la cime des arbres défiler à moins de cent mètres sous l'appareil. J'ai eu vaguement conscience que les rafales avaient cessé. Sa mitrailleuse s'était-elle enrayée ? Si tel était le cas, c'était ma dernière chance. J'ai regardé en bas : nous étions en train de survoler des collines herbeuses à perte de vue, bordées par une épaisse forêt sur la gauche.

Pas un village alentour.

Ni l'ombre d'un canon antiaérien.

Dès que le terrain m'a paru assez plat, j'ai plongé. J'ai vu trop tard les nids-de-poule. Les roues ont touché le sol. Les vibrations provoquées par le sol inégal se sont communiquées à la carlingue et, tout à coup, le coucou a piqué du nez. Ma tête a heurté quelque chose, le moteur s'est arrêté. Je suis resté sonné pendant quelques secondes, à demi conscient des gouttes qui tambourinaient sur les ailes brisées, du sifflement de bouilloire de la pluie se vaporisant sur le moteur brûlant, puis j'ai relevé mes lunettes. Et je l'ai vu qui descendait vers moi à travers les averses. Ce n'était pas une attitude très héroïque, mais j'ai sauté à terre et couru vers les arbres.

Une forêt sombre, humide, profonde.

Le vacarme du moteur du triplan grandissant derrière moi quand je me suis enfoncé parmi les arbres, les bottes pleines de boue.

Une forêt extrêmement touffue, et extraordinairement noire.

Peu de lumière y pénétrait.

Le vent bruissait là-haut, dans les feuillages, mais ici, au cœur de la forêt, dans cette pénombre colloïdale, il était réduit à un souffle. J'ai sorti mon 9 mm de son étui et, appuyé à un tronc moussu, j'ai attendu. Le bruit d'un avion qui se pose, les hélices qui cessent de tourner : il avait atterri ! Je ne doutais pas qu'il fût décidé à me traquer dans les bois. De mon côté, j'étais résolu à débarrasser la Terre de ce Boche démoniaque. La pluie dégouttait des arbres. Elle coulait au bout de mon nez. Je l'ai essuyé d'un revers de main et je me suis rendu compte que l'eau était rosée. Mon épaule était en feu et mon bras gauche engourdi. Mais c'était le droit qui tenait l'arme. Il est apparu. Une silhouette en tenue d'aviateur se découpant dans l'échancrure de la végétation qui laissait filtrer une clarté grise, zébrée de pluie. J'ai tiré. Il est tombé en arrière, hors de ma vue. Je me suis avancé, persuadé de l'avoir touché, mais prudent tout de même. Pas assez cependant… La crosse de son Mauser a heurté mon crâne et j'ai sombré dans les ténèbres…

un bruit crépitant sur les feuilles…

des gouttes de pluie sur mon…

visage…

comme des centaines de petits doigts…

une sensation d'humidité et de chaleur…

autour de mon…

sexe…

J'ai cligné des yeux en recouvrant mes sens – à cause des grosses gouttes qui frappaient ma cornée ; j'ai senti l'engourdissement de mon épaule et de tout le côté gauche, mais surtout *quelque chose de chaud contre mon ventre.* J'ai repensé à Falkenberg et j'ai eu un mouvement de recul, mais ce n'était pas Falkenberg. Ou plutôt… Mais voyez : mes yeux se sont posés sur une chevelure rousse, épaisse et gorgée d'eau répandue sur mon torse nu comme un paquet d'algues sur la grève, et la main qui caressait ma poitrine était indiscutablement féminine elle aussi. L'autre main, fraîche et mouillée, s'activait plus bas. Elle s'est redressée et j'ai vu son visage. Ses yeux luisaient en me regardant, sa bouche était rougie par le feu de ses lèvres. C'était un visage étonnamment beau, avec des sourcils presque masculins qui se rejoignaient en un arc parfait au-dessus du nez droit, des yeux marron où dansaient des paillettes dorées et des pommettes hautes.

L'instant suivant, elle était sur moi. Elle a achevé de se défaire de sa tenue de combat. J'ai failli éclater de rire. C'était donc ça, Falkenberg ! Mais la vue de ses seins parfaits a asséché ma gorge. Lorsqu'elle se fut extraite de la gangue humide de sa tenue comme une nymphe de sa pupe, elle s'est attaquée à mes vêtements. Je perdais beaucoup de sang. Elle a écarté les étoffes poissées autour de mon épaule et a porté ses doigts rouges à ses lèvres. Un vertige s'est emparé de moi. Je m'affaiblissais. Une douleur lancinante derrière mon crâne. Était-elle une hallucination ? Mais aucune hallucination ne pouvait avoir une telle présence. Elle s'est allongée sur moi, reposant de tout son poids, ses seins chauds et doux contre ma poitrine, la chaleur de son ventre contre mon érection. J'ai empoigné ses fesses à pleines mains, malgré l'éclair de douleur dans mon bras gauche. Une *tueuse*, a songé une partie de mon esprit – mais une partie reléguée à l'écart, confinée dans un recoin obscur de mon cerveau par l'affolement de mes sens. *Combien de tes frères d'armes a-t-elle tués ?* disait encore la voix. Mais ma volonté se dissolvait tandis qu'elle empoignait mon sexe et le guidait entre ses cuisses, dans la combe infiniment douce, à califourchon. Elle a pris de la boue et des feuilles et les a étalées sur ma poitrine.

« Qui es-tu ? »

Pas de réponse. Nous avons roulé, le poids de mon corps sur le sien, accepté, voulu, dans le tapis de feuilles et de mousse. Ce fut un accouplement sans tendresse, brutal et rapide. Soudain, alors que j'allais jouir, j'ai senti quelque chose – une *présence* sommeillait au centre de ce corps. Comme une pieuvre, mais cette image n'est pas exacte. Ce n'était pas quelque chose *à l'intérieur* d'elle. C'était *une partie d'elle* – une partie liée à l'ombre, à la forêt, à la terre nourricière. Quelque chose qui la reliait aux racines blanches qui montaient vers nous à travers la terre noire. *Elle n'était pas humaine.* Tout ça, je l'ai entrevu en une fraction de seconde, tandis qu'elle pressait son pubis dur contre le mien. Puis, l'instant suivant, c'était comme si c'était elle qui me pénétrait. Comme si c'était moi qui la recevais. Ma tête tournait, des points blancs devant mes yeux, j'allais m'évanouir lorsque, pendant une demi-seconde, j'ai vu mon propre visage en face de moi et j'ai senti qu'elle me... *baisait...* Puis l'illusion s'est dissipée d'un coup et elle était de nouveau là, étendue, ouverte, accueillante, ses seins blancs se détachant sur la rouille du tapis de feuilles et la terre noire.

« Qui es-tu ?

— Katerina. »

Une voix profonde, presque masculine.

« Et Falkenberg ?

— C'est moi Falkenberg, a-t-elle dit en français, presque sans accent. Et toi, qui es-tu ?

— Je m'appelle Louis... Tu tues nos pilotes, ai-je ajouté.

— Tu tues bien les nôtres.

— Mais tu y mets de la cruauté... On dit que tu ne respectes aucune règle... »

Elle a éclaté de rire. Je voyais son visage danser

devant mes yeux. Je luttais pour garder les yeux ouverts.

« Des règles ? Dans la guerre ! »

Elle a effleuré mes lèvres du bout de ses doigts souillés de terre et de mon sang.

« Nous avons… des règles… nous… là-haut… », ai-je dit, piqué au vif mais de plus en plus faible.

Une immense fatigue. Une lassitude inexorable. Je sentais la vie me quitter comme une marée qui se retire, découvrant une laisse de rochers humides et glacés.

« Vous, les hommes, vous respectez plus vos ennemis que vos femmes.

— Pourquoi… dis-tu… ça ?

— Tu es marié ?

— Non.

— Combien de femmes tu as connues ? »

J'étais jeune en ce temps-là. Nous étions *tous* jeunes. La plupart des pilotes avaient à peine plus de vingt ans – et peu d'entre nous atteindraient la trentaine.

« Trois » ai-je articulé.

Elle a ri. Puis ses ongles longs ont joué avec les poils mêlés de terre et de feuilles de ma poitrine. Des taches noires dans mon champ de vision. J'avais froid. Des fleuves de glace coulaient dans mes veines.

« Mon beau *Flieger*, a-t-elle dit. Si jeune, si courageux…

— Je… je… »

★
★ ★

Mon corps inanimé fut découvert par des paysans du voisinage et une ambulance m'emporta vers un poste de secours. J'avais perdu beaucoup de sang et j'ai déliré pendant plusieurs heures. Les paysans déclarèrent avoir été alertés par le bruit des avions, leur ferme se trouvait à une demi-lieue de là. Par bonheur, je m'étais posé derrière nos lignes.

Au cours des journées qui suivirent, je flottai dans un brouillard teinté d'impatience et de fièvre. J'étais cloué au sol par ma blessure et, en attendant qu'elle fût refermée, je traînais autour du terrain et au mess dans l'espoir de surprendre quelques bribes d'information. Je n'avais qu'une peur : apprendre qu'elle avait été abattue par l'un des nôtres. Je n'avais qu'une envie : la revoir. Dès que je fus sur pied, je multipliai les sorties. Mais aucune trace du triplan noir. Je m'aventurais aussi loin qu'il était raisonnablement permis derrière les lignes ennemies, abattant au passage quelques Rumpler, Gotha et Albatros – mais Katerina semblait s'être évanouie. Je ne sortais plus qu'à l'aube et au crépuscule, et je savais que mes compagnons commençaient à douter de ma santé mentale. La nuit, elle me visitait en rêve, et il m'arrivait de me redresser en sursaut sur ma couche. Je revoyais la profondeur de ses yeux marron posés sur moi, sa chevelure gorgée d'eau sur mon ventre ; j'entendais sa voix de gorge, rauque, enrouée. Avais-je rêvé tout cela ? Je m'efforçais de garder chaque souvenir intact, tout en appréhendant de plus en plus qu'ils ne finissent par s'effacer car, de son côté, Katerina ne reparaissait pas. Cela ne dura que quelques jours, mais suffit à me plonger dans un état de manque absolu, une angoisse nauséeuse, l'estomac noué quand, au crépuscule, une nouvelle journée s'achevait sans nouvelles d'elle.

Et puis, un soir de juin, je la vis. Ou plutôt je vis le triplan noir grandir sur l'horizon électrique et venir vers moi entre les nuages et les éclairs. Il pleuvait, ce soir-là, comme en cette aube initiale où elle m'était apparue. Elle me fit signe de la suivre, et je la suivis. Je la suivis quand elle me désigna un de nos avions accidenté dans un champ ; je la suivis quand elle se posa à proximité et je reconnus l'appareil. Un squelette ailé brandissant une faux peint sur le fuselage : Hantelme. Il était parvenu à s'extirper de son appareil et il était couché dans l'herbe, grimaçant. L'avion gisait les roues en l'air, reposant sur son aile supérieure, son hélice plantée en terre comme un soc de charrue. J'ai vu les yeux d'Hantelme s'agrandir de peur quand le triplan noir s'est arrêté près de lui, puis de surprise – quand il m'a aperçu derrière elle.

« Tue-le, Louis, a dit Katerina en me présentant la crosse de son Mauser.

— Quoi ?

— Tue-le. Fais ça pour moi.

— Louis ? a lancé Hantelme au sol. C'est toi, Louis ? Qu'est-ce que tu fais avec cette... »

Il n'a pas fini sa phrase. Katerina a vidé son chargeur sur lui. « Nom de Dieu ! » Je me suis jeté sur elle. Nous avons roulé dans la boue. Elle était forte, rétive. Nous avons lutté, elle me griffant le visage et moi la giflant à la volée. Je lui ai arraché ses vêtements. J'ai pris ses seins dans mes mains avec fureur, j'ai écrasé ma bouche sur la sienne, tandis qu'elle s'activait avec frénésie pour me libérer. « *Ja ! Flieger !* » Elle nouait ses chevilles sur mes reins pour m'enfoncer au plus profond. Elle a ri et gémi et a attiré mon visage pour darder sa langue dans ma bouche, tandis que mon regard croisait par instants le regard mort d'Hantelme. Puis quelque chose a eu lieu.

D'abord, ce fut indéfinissable.

Un changement subtil en elle et moi. Comme si après l'échange de fluides corporels, nos atomes se mélangeaient. J'ai eu l'impression que mon esprit reculait pour nous contempler en action, pour englober nos deux corps soudés. Et pour admirer la... *métamorphose*. Les sensations que je ressentais étaient si inhabituelles. Si... *féminines* ? Mais comment le savais-je ? J'ai eu l'impression que mes hanches s'élargissaient. Que ma peau tout à coup était plus tendue à cet endroit-là. J'ai ressenti une tension similaire au niveau de la poitrine. J'ai baissé les yeux et j'ai vu... Des seins parfaits, tétons durs et gros comme des crayons. Et la sensation s'est propagée à mon ventre ! Et j'ai compris, terrorisé et fasciné à la fois, que je n'avais pas rêvé la première fois ! J'étais en train de devenir *elle*, et elle était en train de devenir *moi*. À un moment donné, elle a été en moi, et je l'accueillais avec son sexe *à elle*.

« Katerina ! Bon Dieu que...

— *Chuuuuutttt...* »

Et c'était *moi* qui disais ce « chut ». Je contemplais mon propre visage, souriant, comme dans un miroir ; je sentais mon propre membre qui allait et venait à l'intérieur de moi – ou plutôt du con de Katerina, car *j'étais* Katerina ! Et, oh Seigneur ! je fus emporté dans un tourbillon de sensations encore plus puissant que la fois précédente, et quand je jouis, j'étais redevenu Louis chevauchant Katerina, et il me sembla que cela ne devait jamais finir.

Puis je me suis reculé d'un bond, partagé entre l'envoûtement et la nausée.

« Comment fais-tu ça ? »

Elle m'a regardé, l'air amusé, en ramassant ses vêtements.

« Comment je fais quoi ?

— Cette *chose* ! Tu es entrée dans mon esprit, n'est-ce pas ? C'est une hallucination. Dis-moi que c'est une hallucination !

— Ce n'est pas une hallucination, Louis. C'est réel.

— Impossible ! Grotesque ! Absurde ! »

Elle a souri, des étincelles dansaient au fond de ses prunelles.

« Pendant quelques secondes, tu as été moi, Louis. Et j'ai été toi. N'est-ce pas extraordinaire ? *J'ai adoré être toi.* »

Elle a refermé sa tenue d'aviateur.

« Tu es fort et courageux, comme le sont tous les pilotes. C'est pour ça que je vole, pour rencontrer des hommes comme vous. Pas ces minables qui rampent sur la terre. Ces types prétentieux et forts en gueule qui cachent leur peur derrière leurs éclats de voix.

— C'est ridicule !

— Tu es buté, Louis. Ne te fies-tu pas à ce que tes sens t'ont montré ? Avoue que tu as aimé ça…

— Bonté divine, qui es-tu, Katerina ? »

En guise de réponse, elle a sorti un poignard de sa tenue et a glissé le manche dans ma main.

« Frappe-moi. »

Je l'ai regardée, pétrifié.

« Qu'est-ce qui te prend ?

— Je suis Falkenberg, je suis l'Aigle. J'ai tué ton compagnon. J'ai tué des innocents. *Frappe-moi...* »

J'ai écarté sa main et son poignard.

« Tu es folle, Katerina. Ceux qui disent que Falkenberg a perdu la raison sont dans le vrai. »

Elle m'a giflé. Elle avait une force incroyable, mais cela ne m'a pas surpris – j'étais au-delà de toute surprise.

« FRAPPE-MOI SI TU ES UN HOMME !

— Non ! ai-je dit. Pas comme ça ! Pas ici ! Dans le ciel, si tu veux. »

Alors, elle s'est mise à hurler. Une furie, une harpie. Des insultes, des obscénités, un torrent d'imprécations monstrueuses, de mots impurs, lubriques, offensants, où il était question de ma virilité, de ma famille. Le sang battait à mes tempes. Je fixais ce visage déformé par la haine. J'entendais ce torrent de boue déversé par cette bouche. Ses coups pleuvaient sur moi : ma lèvre inférieure et mon nez saignaient...

Je l'ai frappée...

Oh ! pas au cœur ni au ventre... La lame est entrée dans sa cuisse. Elle l'a accueillie en gémissant. J'ai retiré la lame. J'ai cherché les lèvres de la plaie sans les trouver. J'ai aussitôt senti un éclair de douleur à la cuisse. J'ai ouvert ma tenue, dénudé ma jambe et j'ai vu la plaie béante et le sang qui commençait à couler ! Mon cœur battait à tout rompre. J'ai jeté la lame dans les fourrés et je me suis enfui, poursuivi par son rire.

*
* *

Nous avons continué à nous voir, bien sûr. C'était comme une drogue, et il me fallait des doses de plus en plus fortes. Vous ne pouvez comprendre cela tant que vous ne l'avez pas vécu. Cette… *communion*. Cet… *échange*. J'étais pourtant décidé à ne plus jamais la revoir, après ça. Mais à ce moment-là, j'étais déjà comme un ivrogne qui décide d'arrêter de boire à chaque gueule de bois. Ce genre de résolution ne dure pas plus longtemps que la nausée elle-même. Pendant une semaine, je repris la chasse à des heures où je savais n'avoir aucune chance de la croiser. Jusqu'à ce matin où l'intensité d'un tir d'artillerie autour de moi (je volais à moins de mille cinq cents mètres et les panaches blancs éclataient dangereusement près) m'annonça la proximité d'un terrain ennemi. Je l'aperçus quelques instants plus tard : les mêmes baraquements qui bordaient nos propres terrains d'atterrissage et, devant, plusieurs biplans prêts à entrer en action, mais aussi un triplan noir. Mon premier mouvement fut de descendre mitrailler les appareils au sol, mais je me contentai de survoler à deux reprises le terrain. C'est alors que, penché par-dessus le fuselage, je la vis. Émergeant d'un baraquement dans la lumière blonde de ce début d'été, secouant ses cheveux roux avant de les dompter en les enfermant dans un serre-tête. Je la vis grimper à bord de son zinc. Katerina. Mon pouls s'accéléra. Je vis son avion grimper dans le ciel et venir à ma rencontre. En bas, une petite foule de curieux s'était rassemblée pour assister au duel aérien et, pendant quelques minutes, c'est bien le spectacle que nous leur offrîmes, multipliant loopings et acrobaties pour tenter à tour de rôle de se caler dans le sillage de l'autre. Puis Katerina s'éloigna et je la suivis. Sans doute les rampants, en bas, crurent-ils à un piège de sa part tendu au pilote français, dont Falkenberg, évidemment, n'allait faire qu'une bouchée. Je la perdis un moment dans les nuages. Son triplan était plus rapide que mon Spad. Lorsque je la vis à nouveau, elle s'était posée près d'un petit bois. Mes mains tremblaient. Mon sang pulsait. Je descendis à mon tour vers le sol. C'était folie. J'étais en territoire ennemi. D'autres Boches pouvaient nous avoir suivis. Elle m'attendait à l'orée du bois. Elle m'a giflé lorsque je l'ai rejointe, elle m'a frappé, elle m'a embrassé alors que je me jetais sur elle.

Nous avons continué à nous aimer alors que la guerre dévorait les hommes. Nous nous sommes aimés au milieu des tranchées, des bombardements et des cadavres. Nous nous sommes aimés pendant que des généraux criminels et arrogants menaient des millions d'hommes à la mort dans des batailles livrées pour des objectifs dérisoires. Nous nous sommes aimés près de Verdun, dans les ruines d'un village français, alors que tonnaient tout près les mortiers allemands, les crapouillots et les obusiers de trois tonnes, faisant trembler le sol, baisant comme des damnés au milieu des vibrations et des gravats et interchangeant nos corps avec frénésie, nos visages blancs du plâtre et de la poussière qui tombaient du plafond. Nous nous sommes aimés sur le front de l'Ouest, dans un paysage lunaire hérissé de kilomètres de fils de fer barbelés et de troncs décapités, fendus, calcinés, dressés comme des moignons sous le ciel nuageux, roulant dans les barbelés qui nous déchiraient les flancs de leurs pointes acérées. Nous nous sommes aimés presque sous les chenilles des blindés britanniques, lors de l'offensive de Cambrai le 20 novembre 1917, et je me souviens qu'un soldat anglais s'est enfui épouvanté en découvrant nos métamorphoses endiablées, mais Katerina a saisi son Mauser et l'a abattu d'une balle en pleine tête. Je me souviens aussi d'une nuit au cours de la troisième bataille d'Ypres, non loin de Passendale, dans un trou d'obus rempli d'eau, de boue et de cadavres, tandis que cinq cent mille hommes perdaient la vie dans ce seul assaut insensé vers un objectif sans grande valeur militaire. Je me souviens de ses seins blancs qui flottaient comme deux méduses au-dessus de l'eau boueuse dans la lueur intermittente de l'artillerie et des fusées éclairantes, de son visage laqué de boue d'où émergeait seulement le blanc de ses yeux hallucinés et comment, tandis que je la baisais, plongé dans l'eau jusqu'à la taille, elle caressait le visage des cadavres qui la fixaient de leurs yeux morts, étendus au bord du trou. Je me rappelle que sa main s'est refermée sur une baïonnette alors qu'elle allait parvenir à l'orgasme et qu'un filet de sang a coulé le long de son bras nu et, l'instant d'après, j'étais *elle* à nouveau et j'ai vu mon propre visage, ravagé par la folie, dans cette nuit démente, tandis que j'accueillais mes propres coups de reins en riant de son rire insane et qu'un gros rat luisant et repu de chair à canon nageait à la surface du trou d'eau. Elle était un démon, une lamie – mais rien n'aurait pu me faire renoncer à elle, pas plus que l'héroïnomane ne peut renoncer à la drogue qui le détruit. C'était une époque de damnation, et j'étais damné à tout jamais.

« Es-tu mortelle ? » ai-je demandé un jour alors que nous reposions, épuisés, dans une tranchée de la Meuse qu'un corps à corps désespéré entre troupes françaises et allemandes avait remplie presque à ras bords de cadavres.

« Bien sûr, Louis. Comme toi. Comme *eux*, a-t-elle ajouté en désignant les corps empilés en dessous de nous, allongés les uns contre les autres comme des hommes endormis. Une balle, le feu, mon avion qui tombe... même ton poignard aurait pu me tuer. »

Et tandis qu'elle parlait, son regard contemplait les cadavres empilés.

Cette idée m'a terrifié. J'aurais pu la tuer. Vraiment. Une autre fois, tandis que nous regagnions nos appareils près des ruines d'un village français dont plus une maison ne restait debout, des chants de poilus se sont soudain élevés derrière nous :

Jadis quand nous partions en guerre
Les Boches entraient en fureur.
Leurs troupes ne nous aimaient guère
Et maudissaient notre secteur.

Des soldats français... Nous nous sommes retournés. Ils émergeaient des ruines et leurs yeux se sont aussitôt posés sur mon biplan et sur le triplan noir à la croix de Malte, côte à côte. Leurs fusils se sont abaissés dans notre direction. J'ai marché vers eux, bras levés, pour leur expliquer que j'étais un aviateur français et que la « femme-pilote » (ses cheveux au vent ne laissaient pas le moindre doute sur son sexe) était ma prisonnière. Celui qui semblait être le chef a fait un pas en avant ; il avait un visage chevalin, un aspect débraillé et brutal. Son regard de maquignon a jaugé Katerina comme s'il s'agissait d'une génisse. Il a craché dans la boue d'un air mauvais.

« Jolie prise, milord ! Dans ce cas, vous permettrez qu'on y goûte à notre tour, *monsieur l'aviateur...* »

Les autres ont ri. Nous avons fait feu sur eux avant qu'ils aient compris ce qui se passait. Trois hommes à terre. Un seul en a réchappé : un tout jeune soldat au visage acnéique qui demandait grâce en tremblant, les bras levés.

« Ne le tue pas », a dit Katerina.

Elle s'est approchée du troufion. Il sanglotait. La morve lui coulait du nez. Elle en a fait lentement le tour, l'examinant sous toutes les coutures. Puis elle l'a déshabillé. Le garçon tremblait de tous ses membres, il était maigre et pâle sous son uniforme. Et sale aussi. La laine de son uniforme devait grouiller de poux. Nous nous sommes retrouvés à faire l'amour parmi les ruines et, à un moment donné, alors que nous étions tous les deux en elle, j'ai vu avec stupeur mes traits remplacer ceux du jeune troufion tandis que sa jeunesse, sa peur et le plaisir que lui procurait Katerina m'envahissaient. Cet imbécile avait failli mourir puceau !

Il est une chose que je n'ai pas encore dite, et qui explique peut-être l'emprise qu'elle avait sur moi : au cours de ces brèves minutes où je devenais elle, je le devenais *totalement*. Je voyais par ses yeux, je sentais par ses narines, par sa peau et par son sexe. Mais j'étais également envahi par ses souvenirs, sa propre perception. C'est ainsi qu'il m'arrivait d'entrevoir les rues d'Essen où elle avait grandi, les pavés gras et mouillés, noirs de suie, qu'elle foulait, enfant ; et cet industriel de la Ruhr au corps d'éléphant, qui, le premier, lui avait fait connaître à quinze ans la douleur et le poids des hommes – après quoi de nombreux hommes étaient passés dans sa chambre et sur elle, tandis que sa mère comptait son argent dans la cuisine. Et je ressentais le poids de ces corps lourds, masculins, leurs caresses maladroites, la médiocrité de leurs fantasmes, leur manque d'imagination, l'indifférence ou l'excitation que suscitaient chez eux ses larmes. Je me voyais aussi jeune épousée, au bras d'un bel officier allemand, pilote malchanceux qui fut abattu par la chasse française dès sa première sortie, tandis que Katerina avait baisé avec son meilleur ami le lendemain de ses noces, un jeune homme bêtement romantique, entièrement sous son emprise, qui se prenait pour un nouveau Novalis et que la perversité de Katerina allait pousser au suicide. Après quoi, elle avait jeté son dévolu sur des hommes de plus en plus riches, de plus en plus mariés, qu'elle manipulait comme des poupées de chiffon, les rendant idiots de désir. Et j'entrevoyais comment c'était sa façon à elle de se venger de ses premiers amants, ceux de la sinistre et humide soupente, ceux qui glissaient leurs billets sales dans les mains avides de sa mère. Et ces souvenirs se mêlaient aux miens. Car je ne cessais jamais, même dans ces moments, d'être *moi* – comme elle ne cessait jamais, je suppose, d'être *elle*. Un autre aspect singulier de nos « expériences », c'est que seuls notre accouplement ou l'imminence de celui-ci – et la manifestation physique du désir – étaient à même de provoquer l'*échange* ; j'ignore pourquoi, mais il n'y a que dans le tropisme du désir et de l'acte sexuel que la transsubstantiation pouvait s'opérer.

À plusieurs reprises, alors que j'étais allongé la nuit dans mon lit, derrière nos lignes, loin du front, épuisé par des heures de vol mais ne parvenant pas à trouver le sommeil, je pensais à elle, je tentais de toutes mes forces de provoquer l'*échange* à distance, d'investir son corps, qui devait dormir, ou aimer – ou faire Dieu sait quoi à des lieues de là – mais je ne rencontrais chaque fois que le vide et l'absence.

Au mois de décembre 1917, mon avion fut touché par un obus et je m'en tirai miraculeusement indemne, si l'on exclut deux côtes cassées et quelques dents en moins. Les guerres sont fécondes en ce genre de miracles, comme elles sont fécondes en massacres inutiles. Le grand Nungesser survécut à la chute de son avion avec une jambe cassée, le crâne enfoncé, la mâchoire en miettes et le palais défoncé par son manche à balai. Deux mois plus tard, il se dirigeait sur des béquilles vers son nouvel appareil. Je fus acheminé vers une antenne chirurgicale, puis rapatrié vers un hôpital à l'arrière. J'y passai une semaine aux bons soins de religieuses, en compagnie de poilus gazés, amputés, pour la plupart agonisant de leurs blessures, de leurs poumons empoisonnés par les gaz qu'on entendait gargouiller dans l'obscurité de la nuit, ou de la gangrène dont la puanteur planait comme un nuage mortel au-dessus des lits. Après quoi, on me renvoya dans mes foyers pour ma convalescence.

L'hiver 1917-1918 fut épouvantable pour des milliers de malheureux qui tentaient de survivre au fond des tranchées. Mais, en Dordogne, la neige recouvrait les champs, et le parc autour du château ressemblait à une confiserie glacée. Mes parents m'accueillirent comme ils l'avaient toujours fait, mais je ne ressentis plus rien de la joie débordante dont leur vue m'avait pourtant toujours empli. Ma mère m'observait en silence, et je sentais que son instinct maternel lui dictait que les changements qui s'opéraient en moi allaient m'éloigner d'elle irrémédiablement. Je ne sais si elle pouvait deviner la perverse nature de ces changements, mais j'avais l'impression qu'elle lisait en moi comme dans un livre ouvert. Mon père se mourait d'un cancer, reclus parmi les siens, de livres, et je ne sais si Sénèque, Épictète et Pierre Charron lui furent d'un quelconque secours... Ce fut un triste hiver et un abîme de silence s'était ouvert entre nous : mon père n'avait plus l'énergie nécessaire pour tenter de le combler, tout entier occupé qu'il était par son face-à-face avec la mort, et ma mère devait affronter deux malheurs : la mort imminente du seul homme qu'elle eût aimé, et l'éloignement de son fils.

Seule ma jeune sœur Suzanne donnait l'illusion que la cellule familiale était reconstituée. Elle papillonnait parmi nous, d'une gaieté primesautière qui semblait ne pas s'apercevoir de la pâleur déjà cadavérique de notre père et de la façon dont les dernières étincelles de raison s'éteignaient dans le regard de notre mère. Elle avait dix-huit ans, et plus rien d'une écolière désormais. Un visage très pâle et des cheveux châtain clair bouffants ramenés en chignon. Une robe avec des rubans qui s'arrêtait au-dessus du genou, des bas de fil noir et de hautes bottines à lacets croisés – l'élégance d'une jeune dame qui devait faire jaser en ces temps difficiles.

Suzanne avait toujours été pétillante, un peu délurée et d'une intelligence alerte. Elle m'observait à la dérobée au milieu de ses bavardages inconséquents, et je sentais que chaque regard qu'elle portait sur moi confirmait ses soupçons. Elle me montra pourtant son atelier, comme à chaque retour. Suzanne était une artiste. Ses dessins à la craie, au fusain ou à l'encre faisaient preuve d'une main très sûre et, même s'ils souffraient d'un certain académisme, je m'enthousiasmais à chacune de ses réalisations. Mais cette fois, elle tira d'un tiroir – dont elle gardait toujours la clef sur elle – un dessin d'un nouveau genre en me disant : « Tiens, regarde. » Un homme nu – crayon, aquarelle et détrempe – d'une précision anatomique, tel que, plus tard, j'en découvrirai sous la mine des artistes autrichiens « décadents » de l'époque : Klimt et Egon Schiele… Je l'ai examinée. Ses grands yeux bruns brillaient, il y avait un soupçon de rouge sur ses lèvres, et j'ai compris que ma petite sœur avait changé presque autant que moi.

« Qui est-ce ? ai-je dit.

— Peu importe. Tu ne me grondes pas ? Qu'est-ce qui ne va pas, Louis ?

— Rien. C'est merveilleux d'être ici.

— Qu'est-ce qu'ils t'ont fait là-bas, Louis ? Qu'est-ce que tu es devenu ? Tu as changé. Avant, une telle chose t'aurait rendu furieux. »

Ce soir-là, je soufflai les bougies de mon gâteau d'anniversaire, sans qu'aucune joie se mêlât à la fête, hormis celle que tentait de dispenser Suzanne mais, à un moment donné, je surpris dans son regard la même lueur folle et terrifiée qui brûlait dans le regard de notre mère.

Je partis le lendemain. Ce furent des adieux d'une tristesse infinie. Toute gaieté avait disparu du visage de ma petite sœur. Je lisais dans son regard la terreur de rester enfermée ici avec pour seules compagnes la vieillesse et la mort.

*
* *

Dans le train qui me ramenait vers le front, je ne cessais de penser à Katerina. Un officier britannique était assis en face de moi. Il lui manquait deux doigts de la main gauche, et un bandeau de cuir sur son visage trop plat attestait l'absence de son nez. Il pouvait s'estimer « heureux » : à la fin de la guerre, deux cent quarante mille soldats anglais auraient subi l'amputation d'un bras, d'une jambe, ou les deux. Sa convalescence terminée, il retournait au combat. Tout en m'efforçant d'entretenir une conversation vacillante, je revenais sans cesse en pensée à Katerina. Qu'avait-elle fait pendant mon absence ? M'avait-elle cherché ? Ou bien s'était-elle trouvé une autre victime ? Car c'est ce que j'étais – j'étais encore assez lucide pour m'en rendre compte – : la victime d'un ensorcellement, d'une liturgie obscure. À l'arrivée, c'était toujours la même confusion mais, en tant que pilote, j'avais la chance de ne pas avoir à rejoindre le chaos des premières lignes. Une automobile m'attendait pour me conduire au terrain, à l'arrière. Je n'avais qu'une hâte : sauter dans mon Spad. Le chauffeur était un gamin en uniforme, avec un cou de poulet flottant dans un col trop grand. Il venait de changer un pneu et je me suis souvenu de cette publicité que j'avais aperçue, où la firme Michelin se vantait de soutenir l'effort de guerre. Toute une odieuse propagande commerciale s'était développée à l'arrière.

« Bienvenue parmi nous, mon capitaine. C'est une joie de vous retrouver en si bonne forme.

— Il y a du nouveau ? demandai-je, secoué par les cahots.

— Oh que oui ! Vous ne le croirez pas !

— Accouche...

— Falkenberg : on l'a eu, mon capitaine ! »

L'espace d'un instant, mon cœur a cessé de battre. Je dus me faire violence pour demander calmement :

« Qui ? Comment ?

— Ferraud, mon capitaine. Il l'a abattu, il y a six jours. Cette saleté de Boche a réussi à atterrir mais il était mort quand on l'a sorti de là, mon capitaine. La balle de Ferraud lui avait perforé le poumon. »

Sur le bord de la route, des soldats du bataillon de Saint Helens, harassés et hagards, s'en allaient vers le front. J'aperçus les Bessonneaux qui se rapprochaient.

« Comment... était-il ?

— Qui ça, mon capitaine ? Falkenberg ?

— Oui...

— Une sale tête, vous pouvez me croire. Un Boche, quoi. »

Comme un jet de vapeur, l'espoir a fait irruption en moi.

« C'était... un *homme* ? »

J'ai senti que ma question le décontenançait. Il a eu un rire sec et bref, un peu gêné.

« Que voudriez-vous que ce soit, mon capitaine ?

Un monstre ? Non, un homme comme vous et moi. Et aujourd'hui, il est mort. »

J'ai ri, lui ai tapé gaiement sur l'épaule. Il a ri à son tour, de ce rire juvénile et franc que ne connaissaient plus depuis longtemps tous les gamins qui mouraient par milliers dans les tranchées, dans la boue et le froid, au milieu des rats, des poux et des petits bouts de métal qui les fauchaient dès qu'ils bondissaient hors de leurs trous.

« Pas vrai que c'est une bonne nouvelle, mon capitaine ? a-t-il dit. Pour sûr ! »

Mais ma joie allait vite se dissiper. Aucune trace de Katerina. Elle s'était évanouie, semblait-il, avec la chute du triplan noir. Comme si elle avait elle-même organisé cette sortie pour quitter la scène. Qui était l'homme abattu à sa place ? Où était-elle à présent ? Pendant des jours, des semaines, des mois, je l'ai cherchée à travers le ciel, prenant des risques insensés pour approcher les pilotes ennemis et entrevoir leurs visages. Mon tableau de chasse s'en ressentit. Pendant les derniers mois de la guerre, je n'abattis en tout et pour tout qu'un seul avion allemand. Je fus blessé à plusieurs reprises, la malchance me poursuivait, on me conseilla de laisser tomber mais je m'obstinai, mois après mois. La fin de la guerre arriva, et me trouva miraculeusement vivant. On m'avait surnommé « Louis-la-Poisse » et, les derniers temps, plus personne ne voulait voler avec moi. Katerina n'était pas reparue. Comme si je l'avais rêvée. Après tout, la folie était telle, au plus fort des combats, qu'un esprit fatigué, épuisé, usé (et nous l'étions tous) pouvait bien prendre une hallucination pour la réalité la plus tangible. Mais je n'y croyais guère. Mon corps, mon sang, mon sexe : tout me criait que je l'avais bel et bien tenue dans mes bras.

*
* *

Je l'ai cherchée. En Allemagne, d'abord. Quand les troupes françaises occupèrent la Ruhr en 1923, je les ai suivies. J'ai fait partie de l'administration autonome, lorsque les Français ont coupé cette région du reste de l'Allemagne, s'emparant des banques et des usines, et j'ai écumé les rues d'Essen, de Dortmund, de Duisburg. En vain. Puis je me suis dit qu'une femme comme elle, une fois la guerre finie, ne pouvait se contenter d'une vie terne dans la grisaille d'un pays vaincu et réduit à la misère par les réparations colossales que Français et Belges exigeaient en dédommagement de ses crimes. Je l'imaginais plutôt sur le pont d'un bateau, à destination d'une lointaine colonie, d'un pays exotique, toujours à la recherche d'expériences nouvelles et insolites. J'ai donc voyagé. Beaucoup. Longtemps. Les anciennes concessions commerciales allemandes en Chine, en Égypte, au Maroc, au Siam. L'Italie, la Syrie, l'Irak, la Perse, les Indes britanniques… J'avais un don pour les langues et j'en appris une bonne demi-douzaine et les rudiments d'une poignée d'autres. Mais c'est en Allemagne que j'ai fini par la retrouver…

L'année 1933.

En ce temps-là, j'avais depuis longtemps cessé de la chercher. Le 10 avril, j'étais à Berlin pour affaires. Import-export. Hitler était chancelier depuis janvier. Des affiches proclamant : « N'achetez pas

aux Juifs », « N'allez pas chez les médecins juifs »,
« Celui qui se fournit chez un Juif est un traître »
fleurissaient partout. *Ce pays est en train de devenir
fou*, ai-je pensé. Et j'ai songé à la façon dont nous
l'avions saigné après la guerre : la graine de cette
folie, c'est nous qui l'avions semée.

C'est dans un cabaret de Berlin que j'ai perçu
le premier écho de sa présence depuis seize ans.
Les caves éclairées aux chandelles, les « crava-
cheuses » recrutant leurs victimes dans le public,
les travestis d'Alexanderplatz étaient toujours là :
la vieille capitale des plaisirs cohabitait avec l'ordre
nouveau. L'endroit n'avait cependant ni la réputation du *Vieux Berlin* ni celle de l'*Eldorado*. Pas
plus d'une vingtaine de spectateurs dans le sous-sol
enfumé : des messieurs corpulents accompagnés de
matelots ivres et d'éphèbes ramassés sur le Kur-
fürstendamm. Le tissu bleu des murs était passé,
la lumière dispensée par les chandelles creusait les
visages déjà naturellement sinistres. Je me demandais comment j'avais échoué là. Sur scène, devant
un rideau cramoisi, un magicien exécutait un tour.
Du prestidigitateur, il n'avait que le haut-de-forme
et les gants blancs. Son corps maigre, tout de noir
vêtu, était sanglé dans une guêpière, des bas et
des souliers brillants à talons pointus. Son visage
était excessivement maquillé, ses bras et ses jambes
pas rasés et l'effet en était assez répugnant. Son
tour consistait à gober des œufs durs posés dans
de petites assiettes sur un guéridon. Il en a avalé
une quantité impressionnante. Puis il est descendu
dans la salle et il a avalé une à une les cigarettes
de tous les fumeurs. Une dizaine en tout. Après
quoi, il est retourné sur scène.

Lorsqu'il est passé près de ma table, j'ai vu qu'il suait abondamment malgré le froid glacial qui régnait dans la salle, faute de charbon. Il avait des yeux tristes de bête traquée. Il a commencé par faire des ronds de fumée, puis il a attrapé un revolver posé sur un autre guéridon et a enfoncé le canon de l'arme dans sa bouche. Le public se taisait à présent. Lorsque les détonations ont retenti, certains ont sursauté. Il a retiré le canon fumant de sa bouche et craché dans sa main gantée des balles de revolver. Je savais qu'il y avait un truc, mais j'étais incapable de deviner lequel. L'assistance a applaudi, soulagée.

« Vous avez aimé ce numéro ? »

J'ai tourné la tête.

Un petit bonhomme d'à peine un mètre cinquante se tenait près de ma table. Il braquait sur moi des yeux incroyablement brillants.

« Non, ai-je dit.

— Vous êtes un homme de goût, ça se voit. Prospero est un mauvais magicien – et il est répugnant. »

La voix du petit homme était nasillarde et haut perchée. Son visage était aussi maquillé que celui du prestidigitateur : bouche framboise, fard sur les joues et khôl. Il avait un visage de petit singe savant, un petit singe vicieux et repoussant. Il sentait le patchouli et j'ai eu un mouvement de recul. Ses yeux brillaient comme deux morceaux de verre.

« Vous m'avez l'air d'un homme qui sait ce qu'il veut », m'a-t-il dit.

Je l'ai regardé avec défiance – et j'étais sur le point de le rembarrer lorsqu'il a ajouté :

« Vous m'avez l'air de quelqu'un qui a beaucoup voyagé, quelqu'un qui a vu le monde et ses mystères... J'ai quelque chose d'exceptionnel pour les hommes comme vous. Une femme... capable de vous faire ressentir ce que vous n'avez jamais ressenti. »

Ses grands yeux cernés jetaient des feux – opium, ai-je pensé, ou cocaïne – et il m'a adressé un clin d'œil lascif. Sa voix n'était plus qu'un murmure chuintant et désagréable près de mon oreille.

« Imaginez que vous puissiez être, pendant quelques heures, dans le corps de quelqu'un d'autre, que vous puissiez échanger votre corps avec celui d'une femme... très belle... »

Je l'ai empoigné par le col.

« Où est-elle ? »

Son sourire jaune s'est agrandi. Il m'a regardé avec le même mépris qu'il devait éprouver pour tous les êtres pitoyables qu'il parvenait à prendre dans ses filets.

« *Où est-elle ?* »

Tout à coup, il y a eu un grand charivari du côté de l'escalier et le petit homme a placé sa main de poupée dans la mienne.

« Venez ! »

Il m'a entraîné entre les tables, puis dans un escalier sombre, tandis que des éclats de voix, des cris et des bruits de tables renversées montaient de la salle.

« Qu'est-ce qui se passe ? ai-je demandé.

— Les SA », a-t-il répondu simplement.

J'avais entendu dire que les Sections d'Assaut faisaient des descentes dans les lieux fréquentés par les homosexuels. Nous avons émergé dans la nuit pluvieuse. De vagues lueurs mouillées sur les pavés.

Nous nous sommes enfoncés dans les profondeurs de la ville. Soudain, nous fûmes devant une porte cloutée. Une lampe brillait faiblement au-dessus ; j'ai vu un écriteau : *Die Café*. Le petit homme a cogné contre le bois et un judas a été tiré dans l'épaisseur de la porte.

« Ça a commencé ? a demandé le petit homme à l'armoire à glace en tenue de SA qui nous a ouvert.

— Cinq minutes », a répondu le SA.

C'était un homme grand et gros, avec une épaisse moustache noire barrant un visage congestionné. Son gros ventre tendait sa chemise brune et reposait sur la boucle de son ceinturon. Il devait avoir du mal à enfiler ses bottes. Il nous a précédés le long d'un couloir étroit, ses grosses fesses bouchant toute la largeur. Un rideau au fond. Il l'a soulevé et s'est serré contre le mur pour nous laisser passer.

Je l'ai vue tout de suite.

Sur la scène.

Elle avait considérablement maigri.

Elle était nue. Ses poignets et ses chevilles attachés à une grande cible verticale peinte sur un haut panneau de bois circulaire soutenu par une sorte de chevalet. Les chandelles qui éclairaient la scène jetaient sur sa peau blanche des lueurs vacillantes, irréelles. Sa chair fanée était creusée d'ombres par cet éclairage maigrelet. Ses côtes affleuraient sous ses seins tombants. Ses yeux étaient soulignés de grands cernes noirs et s'enfonçaient dans ses orbites comme si les os de ses pommettes allaient percer la peau translucide. Mais la même flamme rousse léchait toujours son ventre et l'obscurité entre ses cuisses recelait toujours la même impérieuse part d'ombre et de mystère. La salle était pleine à craquer. Rien que des hommes. Assis devant la scène ou entassés dans le fond, debout, en rangs serrés – attentifs, absorbés, avides. Des croix gammées. Des costumes bien coupés. Des bagues et des cigares. Un nuage de fumée épais flottait sous le plafond.

« Il faut payer », a dit le petit travesti.

Le gros SA tendait sa pogne. J'ai fourré deux billets à l'intérieur. Puis j'ai reporté mon attention sur la scène.

« Ça n'a pas encore commencé », a murmuré le petit homme d'un ton gourmand.

Un homme se tenait à l'autre bout de la scène. Barbu, un visage émacié, mais des bras musclés émergeant d'un gilet de cuir noir serré autour de son torse. J'ai vu les lames dans ses mains poilues. Un numéro de lanceur de couteaux. Était-ce vraiment pour voir ça que tous ces hommes étaient là ?

Un roulement de tambour, puis le silence. Personne ne parlait. Une tension palpable émanait des spectateurs, et je n'ai pu m'empêcher de la ressentir aussi. C'est à ce moment-là que j'ai compris ce qui allait se passer. Le bras du lanceur s'est levé, puis le premier couteau a traversé la scène, horizontalement. Elle a tressailli lorsqu'il s'est planté dans son bras droit, près de la saignée du coude. Un murmure a parcouru les rangs. Un filet de sang s'est mis à couler, presque noir dans la lueur des chandelles. Nouveau roulement de tambour, nouveau bras levé qui s'abat. Le deuxième couteau s'est planté presque symétriquement au premier dans le bras gauche. Seigneur, ai-je pensé. Je voyais les lames brillantes fichées dans sa peau blanche, le sang couler le long de ses bras maigres et goutter sur le plancher de bois poussiéreux. L'atmosphère était empreinte d'une folie presque visible. Une démence silencieuse, froide, consentie, qui brillait dans les regards. Encore un couteau. Et, comme les fois précédentes, elle a tressailli lorsque la lame brillante et acérée s'est enfoncée dans son ventre, à deux doigts du nombril. Puis le sein droit, tout près du mamelon. La sueur ruisselait sur le visage tendu du lanceur, le sang sur le corps de Katerina ; il s'est essuyé de son avant-bras velu et a lancé le cinquième poignard. Le murmure de la salle a enflé. La tension était à son comble. Une fille blonde, superbe, a surgi de l'obscurité qui noyait le fond de la scène. Elle s'est approchée de Katerina et l'a embrassée à pleine bouche, et là j'ai compris : c'était *elle* Katerina – pas la fille aux poignards. J'ai fait un pas vers la sortie.

« Où allez-vous ? Ce n'est pas fini, a dit le petit homme.

— J'en ai assez vu.

— Vous n'avez encore rien vu », a-t-il rétorqué. Je me suis arrêté, je l'ai fixé avec l'envie de le secouer et de l'étrangler.

« Qu'est-ce qui vient ensuite ?

— Toutes sortes de choses... Ce n'est rien, ça... Rien que le *hors-d'œuvre*... Vous avez payé, vous avez le droit de voir...

— C'est... *elle* qui fait ces choses ?

— Qui les fait et qui les subit, a-t-il répondu, l'œil luisant. Vous n'avez jamais rien vu de pareil, je vous le garantis. Ça n'est pas pour les âmes sensibles, a-t-il ajouté en passant un bout de langue rose sur ses lèvres framboise. Vous n'êtes pas une âme sensible, n'est-ce pas ? »

Je ne sais ce qui m'a retenu de le frapper. Je

me suis enfui dans la nuit pluvieuse, la folie à mes trousses, sans un regard vers la scène.

★
★ ★

C'est lui qui m'a retrouvé. J'ai failli ne pas le reconnaître, malgré sa petite taille. J'allais quitter Berlin le lendemain. Tout dans cette ville m'écœurait, me donnait la nausée. Il m'attendait à la réception de l'hôtel, assis derrière un exemplaire du *Völkischer Beobachter*. Quand il m'a vu, il a reposé sa lecture sur la table à journaux et s'est dirigé vers moi, modèle réduit d'homme d'affaires en costume rayé et souliers vernis, un œillet à la boutonnière. Sans son maquillage de cabaret, il était encore plus laid. Sa peau avait un aspect flétri, ses longs cils étaient manifestement faux, tout comme le carmin de ses joues et sa fine moustache noire. Il était plus vieux que je ne croyais.

« *Wollen Sie ein Kaffee ?*

— Qu'est-ce que vous faites là ?

— Elle veut vous voir, a-t-il dit.

— Qui vous dit que moi j'ai envie de la voir ? »

Il a souri avec indulgence.

« Elle vous a aperçu à l'entrée, l'autre soir. Elle m'a demandé de vous retrouver. Suivez-moi. »

Bien sûr, je l'ai suivi.

Une voiture nous attendait devant l'hôtel. Je l'ai soupçonnée d'appartenir au parc d'automobiles, de motocyclettes et de camions des SA que j'avais vus parader sur Kudamm à plusieurs reprises, car le chauffeur portait le brassard à croix gammée. Nous sommes sortis de la ville. Il pleuvait et la nuit

231

tombait. « À propos, je m'appelle Willy », a dit le petit homme en me tendant sa main de poupée. Je ne l'ai pas serrée. Nous avons traversé un quartier bourgeois ; au passage, j'ai aperçu une famille sur le trottoir, l'air effrayé, et des SA derrière les fenêtres, qui renversaient les meubles et lacéraient les tableaux sur les murs.

« *Gott sei danke,* nous sommes en train de remettre de l'ordre dans cette ville et dans ce pays. Tout ce qui n'est pas *Völkisch* doit disparaître, a dit Willy en allumant une cigarette. Ce que vous avez vu l'autre soir, a-t-il ajouté subitement, elle ne fait pas ça pour l'argent. Elle fait ça pour son plaisir. »

J'ai frémi.

« Et pour l'argent aussi, naturellement. Pour payer la drogue. »

Une grande villa cossue au bord d'un lac. Des lumières à toutes les fenêtres, qui se reflétaient dans les eaux noires. La voiture s'est immobilisée sur le gravier et j'ai suivi Willy qui gravissait les marches du perron tel un lutin facétieux. Nous avons traversé un grand vestibule au parquet ciré. Des éclats de voix avinées montaient des salons et, quand Willy a ouvert les portes, j'ai découvert des hommes à demi nus ou en uniformes de SA vautrés sur les fauteuils, les canapés, les tapis persans. Certains avaient vomi ; d'autres s'embrassaient ou s'arrosaient de bière ; dans un angle, un vieux pianiste chauve vêtu d'un frac égrenait les notes d'une *Todentanz* macabre.

« Vous ne la trouverez pas au milieu de ces porcs, a dit Willy. À l'étage. »

J'ai grimpé l'escalier, les oreilles bourdonnantes.

Des huiles et des aquarelles sur les murs. Un tapis retenu aux marches par des tringles de cuivre. Sur le palier, une porte entrouverte.

N'entre pas.

N'entre pas.

N'entre pas.

Je suis entré. Une chambre luxueuse : des dessins érotiques et des toiles de maîtres, un lit à colonnes, un poêle en porcelaine blanche de l'époque wilhelmienne. Soudain, je me suis figé. Statufié. Sur le dessus-de-lit en fourrure dormait un fauve. Son pelage jaune était ocellé de taches noires, rondes. Il blanchissait sur le ventre, au bout des pattes fines et musclées, et autour du museau allongé, ses joues marquées par deux raies sombres comme des peintures de guerre. Un guépard. Ses yeux de biche se sont ouverts et ils se sont posés sur moi. Je ne bougeai pas. Je suis resté absolument immobile. L'animal a reposé son museau gracieux dans la fourrure et s'est rendormi.

J'ai entendu des sons provenant de la salle de bains. Des soupirs, des clapotis, une voix d'homme avinée :

« Oh, mon Dieu ! Katerina ! »

Je me suis avancé très lentement.

La porte était également entrouverte. Des bruits d'eau... Je l'ai poussée... Elle était là, dans la grande baignoire dont les pieds étaient des griffes de lion en bronze. Ses bras squelettiques pendaient le long des pieds et ses longs doigts caressaient les griffes de métal. Le gros homme entre ses cuisses la baisait en ahanant et faisait naître des vaguelettes clapotantes contre l'émail. Elle a tourné la tête vers moi, et l'instant d'après, l'*échange* a eu lieu. Ou bien était-ce le retour à la normale ? Qui était qui ? Katerina chevauchait le gros homme, mais s'agissait-il bien de Katerina ? Dessus ? Dessous ? Son partenaire avait des traces de griffes sur la poitrine pareilles à des scarifications rituelles et une vilaine morsure violette dans le cou. Katerina avait de la poudre blanche sur le nez et les lèvres, et elle s'est frotté les gencives avec le pouce. Elle a tourné la tête vers moi et a souri. Son regard était vitreux. Et là, tout à coup, j'ai fait un bond en arrière. Le vent de la folie a hurlé dans la pièce. La nuque et les cheveux ruisselants de Katerina se sont changés en une houle frémissante de poils jaunes et soyeux ocellés de taches noires et rondes, et j'ai vu son visage se distendre, s'allonger démesurément en un museau où je reconnaissais les deux bandes noires comme des peintures de guerre. Le museau s'est ouvert sur une rangée de crocs aiguisés comme des rasoirs.

Elle s'est jetée sur le gros homme aux yeux fous de peur et, avant qu'il ait pu pousser un seul cri, lui a dévoré les lèvres, les gencives, le nez, la langue, puis a rejeté la tête en arrière pour déglutir avant de plonger sur sa gorge, en secouant violemment sa tête puissante de fauve d'un côté à l'autre.

Je suis tombé à la renverse, assis sur le carrelage mouillé, mon visage baigné d'une sueur froide. Mon crâne a heurté quelque chose. J'avais le cœur dans la gorge, il tapait à grands coups affolés et j'ai vu une eau écarlate déborder de la baignoire tandis que ses traits redevenaient normaux. Un gouffre dans mon estomac et une brusque giclée de salive dans ma bouche m'ont averti que j'étais sur le point de vomir.

Mon Dieu ! Comment avait-elle pu ? Quelle folie !

« Louis, a-t-elle dit comme si elle émergeait d'un rêve. Mon cher Louis. C'est toi ? »

Elle a enjambé le bord de la baignoire, ruisselante d'écume rosâtre, et a cherché quelque chose sur une tablette de marbre. Sa poudre. Elle s'est penchée pour la renifler – puis elle s'est redressée.

« Vite ! Il ne faut pas moisir ici ! »

Elle m'a attrapé par la main, m'a obligé à me relever et m'a entraîné dans la chambre. S'est emparée de son manteau de fourrure jeté sur une chaise.

« Viens, Louis. Vite ! S'ils le trouvent dans cet état, ils nous tueront tous les deux. Tu ne sais pas de quoi ils sont capables. Viens ! »

Nous avons dévalé les marches, couru vers la sortie. L'air froid de la nuit a séché la sueur sur mon visage et un peu dissipé les nausées qui faisaient monter et descendre mon estomac comme un yo-yo. Willy et le chauffeur nous attendaient dans la voiture. Ils ont démarré aussitôt.

« Tout s'est passé comme vous le désiriez, madame ? » a demandé Willy qui s'était assis à côté du chauffeur.

Katerina a répondu par l'affirmative, puis elle s'est tournée vers moi. Sa main glacée a caressé ma joue.

« Cher, cher Louis ! Tu es venu ! Comme je suis contente !

— Katerina, qu'est-ce qui s'est passé là-haut ?

— Ça ? Rien. Un porc qui croyait me tenir par la drogue. Mais maintenant, c'est fini. Je n'aurai bientôt plus besoin de drogue, pas vrai, Willy ? »

Un tas d'émotions contradictoires assaillait mon esprit. La joie de l'avoir retrouvée après toutes ces années, la démence de la scène à laquelle je venais d'assister, son aspect pitoyable, la présence du répugnant petit homme à ses côtés. Ses doigts glacés ont effleuré mes lèvres.

« Cher, cher Louis ! Le meilleur de mes amants, Willy. Pas un qui lui arrive à la cheville.

— Je vous crois sans peine, madame, a dit Willy sur le même ton servile et irréel.

— Un amant merveilleux… »

Elle a ouvert sa fourrure sur son corps nu et s'est caressé les seins.

« Tu te souviens de ce bois, la première fois, Louis. Tu étais blessé à l'épaule, tu saignais beaucoup. Je me suis demandé si tu allais t'en tirer quand je t'ai laissé. Et puis, tu as survécu. »

Ses doigts fébriles ont ouvert ma veste, ma chemise.

« Nous étions si bien là-haut, dans le ciel. Une autre époque. Aujourd'hui, toute cette fange me donne envie de vomir.

— Katerina…

— Embrasse-moi, Louis. Aime-moi. Comme au bon vieux temps.

— Katerina, non.

— Montre à Willy quel amant merveilleux tu es. Montre-leur, Louis. (Ses deux mains s'attaquaient à ma ceinture à présent, cherchaient à me libérer.) Fais ça pour moi. *Maintenant.* »

Je repensais au gros homme là-haut, au guépard en train de le dévorer. Je l'ai repoussée assez violemment. Elle a ri.

« Willy… a-t-elle dit.

— Prenez-la, monsieur », a dit Willy.

J'ai tourné la tête vers lui et j'ai vu la bouche noire du revolver pointé sur moi.

« Prenez-la *tout de suite.* »

Elle avait déjà sa main entre mes cuisses. Elle était d'une habileté diabolique mais malgré cela, je ne sais pas comment j'ai réussi à bander. Après, tout se bouscule : je me rappelle Katerina sur moi, son corps maigre, ses os à fleur de peau. Je me rappelle sa bouche et ses mains et sa peau encore ruisselante. Je me souviens être entré en elle et son soupir à ce moment-là – était-ce soulagement, délivrance ou plaisir ? Je me rappelle le premier *échange* et, à ce moment, j'ai cessé de réfléchir et de penser à la présence de Willy puis le deuxième échange et la sensation que je ne contrôle plus rien, le rythme des échanges se fait de plus en plus effréné, je suis épuisé, hébété, les yeux exorbités, j'ai l'impression que mon cœur va lâcher, je suis sûr à présent que c'est elle qui provoque les échanges, je ne suis plus qu'un jouet ballotté par un flot de sensations, c'est elle qui contrôle le processus, l'accélère à volonté, mon visage trempé de sueur, chaque fois que je suis sur le point de jouir un nouvel échange a lieu, et elle me ramène juste en deçà du point de non-retour, et j'ai de plus en plus la certitude que je vais crever là en baisant, et je suis elle je suis moi elle moi elle...

« TIRE ! » hurle Katerina qui est *moi* à ce moment précis.

Et c'est là que Willy a déchargé son revolver sur moi.

*
* *

Le corps de Katerina-Louis recroquevillé sur la banquette : cela m'a serré le cœur, je vous jure. Mais il fallait qu'il meure. L'*échange* ne peut être définitif qu'avec la mort de l'autre. J'ai fait signe au chauffeur. Katerina allait pouvoir vivre dans son nouveau corps d'homme, désormais sain, fort, débarrassé de la dépendance à la drogue. Un nouveau corps si seyant que je l'ai conservé jusqu'à ce jour de mon cent treizième anniversaire. Il y a si longtemps que j'ai cessé d'être Katerina que les souvenirs de Louis sont presque plus réels dans mon esprit que ceux de Katerina. J'aime me replonger dans les souvenirs de Louis : c'est comme si je tournais les pages d'un livre. Il fut sans aucun doute le meilleur de mes amants. Le seul digne d'un échange *définitif*. Mais aujourd'hui, à cent treize ans, le corps de Louis a vieilli et mes jours sont comptés, comme ils l'étaient en cette lointaine année 1933, quand j'étais sous l'emprise de la cocaïne et de l'opium. Plus le temps de faire la fine bouche. Il y a urgence.

Je repose ma plume.

Il est tard.

Les autres pensionnaires dorment depuis longtemps. Cet après-midi, j'ai soufflé les bougies de mon gâteau. Vous auriez dû les voir, tous : la directrice de la maison de retraite, les aides-soignantes, les employés – tous si fiers d'héberger le « doyen de l'Europe ». « LE DOYEN DE L'EUROPE MEURT LE JOUR DE SES CENT TREIZE ANS » : ce sera le titre des journaux demain. Après avoir soufflé les bougies (trois seulement), à moitié aveuglé par les flashs des photographes, je l'ai cherchée des yeux et j'ai fini par l'apercevoir, à l'écart, dans un coin. La seule qui ne souriait pas. C'est qu'elle connaît une partie – une toute petite partie – de mon secret. Et je sais qu'elle a peur, mais aussi *envie*. Derrière ma fenêtre, la forêt qui s'étend autour de la maison de retraite n'est plus qu'un lac de ténèbres. La cime des sapins noirs agités par le vent danse sur la nuit traversée de nuages. J'aime cet endroit. C'est une forêt magnifique, immense et profonde. La porte de ma chambre s'ouvre en grinçant. Je me retourne. L'infirmière pose le plateau sur le lit.

« Joyeux anniversaire ! », dit-elle.

Elle se tourne vers moi. Je ne bouge pas. Elle déboutonne sa blouse. Elle est nue dessous. Elle a un regard chaviré, hébété ; j'y lis la honte, l'excitation, le besoin – l'asservissement. Sa poitrine est lourde, prête à allaiter ; la peau de son ventre rond est tendue comme une peau de tambour au-dessus de sa toison courte et rêche. Elle marche vers moi, blouse ouverte. Je sens mon désir naître et je vois son visage se rider, se flétrir, tandis que mon ventre s'arrondit et que ma poitrine se gonfle de lait. J'ai cent treize ans aujourd'hui. Je la tuerai ce soir. Dès qu'elle sera *moi* et que je serai *elle*, je la tuerai – car l'*échange* ne peut être définitif qu'avec la mort de l'autre. Je l'étoufferai avec mon oreiller et personne ne s'étonnera que la vie d'un vieillard de cent treize ans ait été soufflée comme une bougie. Je porterai son enfant à sa place, je le mettrai au monde. Et quand il aura suffisamment de force et de vigueur, je m'échangerai avec lui – et je la tuerai une deuxième fois. Je regarde cette vie dans son ventre, cette vie qui *m'attend*, qui m'est promise.

« C'est l'heure de vos médicaments, répète-t-elle mécaniquement en se mordant les lèvres.

— C'est l'heure de l'échange », dis-je en souriant.

FIN

Romain PUÉRTOLAS

Les 40 ans d'un fakir

— Joyeux a-nni-ver-saaaaaaire, Arrache-des-choux-la-vache-bretelles ! Joyeux a-nni-ver-saaaaaaire, Attache-ta-charrue-la-vache-paddle ! Joyeux a-nni-ver-saaaaaaire, Ajatashatru Lavash Patel ! Joyeux aaaaaa-niiiiiiiii-veeeeeer-saaaaaaire !

Une salve d'applaudissements retentit dans la petite caravane dans laquelle se trouvaient le désormais célèbre Ajatashatru, qui avait arrêté sa carrière de fakir en Orient pour devenir écrivain en Occident, et quelques amis gitans aux noms à coucher dehors (ou dans une caravane, plutôt). Gustave Palourde, le chauffeur de taxi, Mercedes, qui n'était pas sa voiture mais sa femme, Miranda-Jessica, leur fille, et Tom Cruise-Jesús, son mari.

L'Indien, car Ajatashatru l'était, s'inclina au-dessus du gâteau pour souffler la quarantaine de clous que Mercedes avait passé sa matinée à disposer dessus en guise de bougies en toute harmonie. Une harmonie dont elle semblait seule à connaître la logique. Comme tout le monde s'y attendait, l'ex-fakir n'en éteignit aucun.

— Pauvre vieux, quarante ans et il n'a déjà plus de souffle ! s'exclama Gustave avant d'éclater d'un rire gras qui fit rebondir toute la ferraille qu'il portait autour du cou.

Une vieille légende indienne disait que l'on pouvait calculer l'âge d'un fakir au nombre de clous qui parsemaient son lit, mais comme toutes les légendes, elle n'était que mensonge. Si Ajatashatru s'était couché sur une litière composée d'une quarantaine de clous seulement, il y a fort à parier qu'il s'y serait empalé... Et puis attendre quinze mille ans (c'était le nombre de clous nécessaires pour avoir un certain confort), c'était un peu limite.

Déjà, Miranda-Jessica commençait à retirer un à un les clous et autres vis, sans omettre de lécher à chaque fois la pulpe de ses doigts avec une gourmandise et un érotisme sans pareil. Puis elle les laissait tomber dans la paume de Tom Cruise-Jesús qui les plantait au fur et à mesure, à grands coups de marteau, dans l'armoire Ikea qu'il avait désossée pour l'occasion.

Lorsqu'il n'en resta plus aucun sur le gâteau, Mercedes-Shayana prit un couteau et découpa un morceau qu'elle posa dans une assiette. Elle fit de même pour les quatre autres invités. Ajatashatru mit un peu de crème dans sa bouche, la mâchouilla un instant, esquissa une grimace, et recracha le liquide blanc vaporeux dans son plat.

— Elle ne serait pas un peu périmée votre chantilly ? demanda-t-il à la jeune fille.

— Ce n'est pas de la chantilly, répondit celle-ci. C'est la mousse à raser de papa.

— Oui, mais pas n'importe laquelle, compléta le Gitan, de la Gillette !

Volée en promotion à Carrefour !

L'Indien prit un gobelet d'eau pour se rincer la bouche, mais cela ne fit qu'empirer son état.

Une vive chaleur lui enflamma aussitôt le palais, la langue et glissa dans son gosier, brûlant tout sur son passage. Il se souvint de ce jour lorsque, fakir, il avait appris à cracher des flammes de dragon en se mettant de l'essence dans la bouche et en l'approchant d'un briquet.

— C'est quoi cette eau ? hurla-t-il lorsqu'il eut tout avalé.

— Chanel N° 5, précisa Mercedes-Shayana, volé en promotion aussi. On ne te propose que le meilleur, Aja !

— On n'a pas tous les jours quarante ans ! surenchérit Gustave en lui donnant une tape amicale dans le dos qui faillit le propulser par la fenêtre de la caravane.

— Et justement, à événement exceptionnel, cadeau exceptionnel !

La Gitane blond platine sortit de son décolleté une petite enveloppe blanche qu'elle tendit à Ajatashatru.

— Eh bien, ouvre ! le pressèrent-ils tous.

Excepté Tom Cruise-Jesús, qui avait deux clous coincés entre les dents.

L'enveloppe était encore chaude d'avoir séjourné entre les deux énormes seins de la maîtresse de caravane. L'Indien la déchira de ses mains hésitantes. « Qu'ont-ils encore volé en promotion ? » se demanda-t-il. Et il les regarda. Il les aimait ces gens-là, avec leurs défauts et leurs défauts. Et il se sentait aimé à son tour. Ils l'avaient adopté, même s'il ne portait pas des vêtements aussi criards qu'eux, qu'il ne jouait pas de guitare en hurlant comme s'il s'était coincé les doigts dans la porte ou qu'il ne croyait pas en l'histoire de cette soi-disant vierge qui s'était un jour réveillée enceinte jusqu'aux yeux du charpentier du village. Qui pouvait croire en de pareilles sornettes ? Son dieu à lui, Ganesh, était un enfant à tête d'éléphant et possédant quatre bras. Ça, oui, c'était une vraie religion sérieuse.

À sa grande surprise, et joie, il trouva un billet d'avion aller-retour pour New Delhi dont la date du départ était prévue pour le lendemain.

— Le concert des Gipsy Kings était déjà complet, s'excusa Gustave en haussant les épaules. Alors on t'a pris un billet d'avion.

— Mais vous êtes fous ! leur lança l'écrivain au milieu des coups de marteau.

— Fous de toi, dit le conducteur de taxi en lui posant sa grosse main ornée de bagues en or sur l'épaule, ce qui eut pour effet immédiat de faire pencher l'Indien. Tu dois manquer à ta mère, à tes cousins, à tes amis, et à ce gars à qui tu donnais toute la recette de tes spectacles de rue quand tu étais encore ce gamin exploité et violé des rues de Kishanyogoor... Et puis, tu pourras fêter une deuxième fois ton anniversaire, avec ta famille.

Les yeux rouges et humides, Ajatashatru remercia chacun de ses amis, qui lui sourirent en retour, sauf Tom Cruise-Jesús, qui avait toujours des clous entre les dents.

— Allez, tu reprendras bien un peu de mousse à raser !

*
* *

Le retour au pays fut émouvant et éprouvant.

D'abord parce qu'une grève de contrôleurs aériens parisiens éclata le matin où Ajatashatru devait s'envoler, retardant ainsi de six heures et dix-huit jours le départ. Ensuite parce qu'un dangereux terroriste détourna dès le décollage l'appareil qu'il voulut écraser contre la tour Eiffel. Le pilote réussit à rejoindre la côte Ouest des États-Unis sans que l'homme ne se rende compte de rien, et écrasa son avion contre la réplique miniature du monument français de l'hôtel *Paris Las Vegas*. Bien qu'aucun blessé grave ne fût à déplorer (il n'y eut que des morts ! Et quelques vivants), le timing du vol en prit un sacré coup. Finalement, l'ex-fakir arriva à destination un mois après son anniversaire.

Mais ce petit contretemps n'empêcha pas de le fêter à nouveau.

*
* *

— Janmadina mubāraka hoooooo, Ajatashatru Lavash Patel ! Janmadina mubāraka hooooooo, Ajatashatru Lavash Patel ! Janmadina mubāraka hoooooo, Ajatashatru ! Janmadiiiiii-naaaaaa-mubāraka hoooooo !

Une salve d'applaudissements retentit dans la petite maison en torchis et Ajatashatru s'inclina au-dessus du gâteau pour souffler la quarantaine de morceaux de paille que sa mère, Sihringh, avait passé sa matinée à disposer en toute harmonie sur le gâteau.

L'écrivain n'en éteignit aucune.

— On dirait que tu as perdu tous tes pouvoirs ! s'exclama son cousin Jamlidanup.

— Je peux faire des choses encore plus extra-ordinaires ! dit l'ex-fakir pour se justifier. Ça, par exemple, c'est mieux que n'importe quel guérisseur, dit-il, en agitant une petite carte verte sur laquelle était écrit *Carte vitale*. Si tu es malade, tu vas voir un sorcier, tu la passes dans une petite boîte et tu es guéri.

Ses paroles furent accompagnées de *Ohhh* et de *Ahhh*.

— Avec ça, tu peux prendre des photos de toi, plus la peine de demander à des touristes dans la rue, annonça-t-il en brandissant une perche à selfie.

De nouveaux *Ohhh* et *Ahhh* accueillirent son discours. Au fur et à mesure qu'il sortait les objets de son sac, il les distribuait à ses nombreux cousins, heureux de pouvoir leur montrer de nouvelles choses, et ceux-ci s'enfuyaient aussitôt dans la rue, un par un, pour essayer leurs nouveaux jouets.

— Avec ça, tu peux faire fuir un lion. Ça s'appelle du camembert.

Ohhh, Ahhh.

— Et ça, c'est pour faire rire les filles.

Il montra un Carambar dont il déballa l'emballage et leur traduisit la blague qui était écrite dessus. Personne ne rit. Ensuite, il donna le bonbon au caramel à Jamlidanup en lui demandant de bien vouloir le donner au vieux Djamal. Cela lui servirait de colle pour ses prothèses dentaires. Enfin, Ajatashatru sortit un savon de Marseille, du nougat de Montélimar et un béret, tout en accompagnant son geste d'éloges sur ce magnifique pays qu'était la France.

— C'est ton anniversaire, mais c'est toi qui nous offres des cadeaux, remarqua Sihringh lorsqu'ils furent seuls.

— Mon plus beau cadeau, c'est de pouvoir te revoir, Mama, et d'être avec vous tous.

Il la prit dans ses bras et la serra avec une tendresse infinie.

★
★ ★

Le soir, au souper, un silence de mort régnait au-dessus de la soupe d'agneau au curry, qui était la seule chose que savait cuisiner la vieille Indienne. Les cousins d'Ajatashatru avaient le visage décomposé et mangeaient sans rien dire.

— Que vous arrive-t-il donc ?

Silence.

— Mama Sihringh ?

— Je ne sais pas, dit-elle. Que se passe-t-il ? ajouta-t-elle en s'adressant aux autres.

Face à l'autorité de la vieille dame, Jamlidanup, le plus âgé des cousins d'Ajatashatru, répondit :

— Rien de ce que nous a dit Aja n'est vrai.

— Il nous est revenu plus menteur qu'avant, osa un autre.

— De quoi parlez-vous ? demanda l'intéressé, intrigué.

— Tes blagues Carambar n'ont fait rire personne, dit Sidkaar, et ton camembert ne ferait même pas fuir un cobra, par contre, les filles, oui…

— Mantraa avait la diarrhée, continua Jamlidanup, alors je lui ai passé la carte verte dans la petite boîte (entendez la raie des fesses), comme tu nous avais dit, mais ça n'a pas marché. Bien au contraire. Ça oui, elle a changé de couleur !

— Et moi, j'ai passé l'après-midi à prendre des photos avec ta perche, surenchérit Baatman, mais je n'en ai aucune.

L'ex-fakir étouffa un petit rire.

— La carte doit se mettre dans une boîte spéciale, Jamli', pas sur la partie du corps malade ! Et pour que la perche à selfie prenne des photos, Baat', il faut mettre un téléphone portable au bout !

— Mais on n'a pas de boîte spéciale, dit l'un au bout d'un instant.

— Et on n'a pas de téléphone portable, ajouta l'autre.

— Ta magie ne marche que là-bas.

— C'est vrai, reconnut Ajatashatru, tout comme ma magie d'avant ne marchait qu'ici…

*
* *

Le retour à Paris fut moins mouvementé que l'aller et le vol arriva plus ou moins à l'heure prévue. Le jour prévu.

Gustave Palourde était venu chercher Ajatashatru dans son taxi et cela le ramena deux ans en arrière, lorsque, foulant pour la première fois le sol français à la recherche de son lit à clous, il était monté dans cet étrange véhicule à la banquette léopard.

À vive allure sur le périphérique, il vit défiler Paris à travers la vitre sale de la fenêtre, ses immeubles immenses, sa tour centenaire, ses pigeons.

Il était à la maison. Son autre maison.

Il sourit, satisfait de ce qu'il était devenu à quarante ans. L'enfant de deux cultures.

Et un prince des Mille et Une Nuits. Celles de Marie, sa femme.

Qui l'attendait chez eux.

Yann QUEFFÉLEC

Fuchsia

Jeudi 26 juillet, 6 heures du matin, chaussée des Tilleuls, 35 °C sous abri.

Liza, vingt-cinq ans, hoquette de chagrin devant sa vieille Opel vandalisée. Les quatre pneus sont crevés, lacérés à mort. Des pneus comme neuf, un cadeau d'Édouard quand ils se sont dit adieu au printemps dernier. «Je fais ça pour Noun, pas pour toi, mère irresponsable!» Noun, c'est leur blondinette chérie, et, sauf imprévu fâcheux, elle aura sept ans la nuit prochaine à 5 h 25 et des poussières. Elle vit chez son père, hélas, mais elles partent en vacances demain soir. La mère et la fille uniquement. Une semaine à la mer sur l'île de Sarnia, vers le ponant. La maison de rêve est louée, le passage en ferry-boat réservé pour elles deux et pour la voiture, elles dîneront d'un sorbet sur le port en arrivant.

La voiture, oh mon Dieu, la caisse, les roues!

Elle appelle Édouard, il daigne répondre, trop cool :

— C'est toi qui m'as bousillé mes pneus, pourriture ?

— Tes pneus ?... Tes pneus c'est pas tes pneus, j'te signale, c'est les pn...

— Pourquoi t'as fait, pourquoi tu m'as... ?

— Arrête ton cinoche, pignouse ! Tu sais plus quoi inventer pour m'extorquer du pognon, va mourir !

Il lui raccroche au nez, l'enfoiré.

Mourir ! Non tu t'es vu, espèce de malade ? Une maman ne débarrasse pas le plancher comme ça, connard !

Où trouver l'argent des pneus ?... Le budget vacances est tellement ric-rac qu'on ne peut plus bouger un centime, même pour les crèmes solaires. Elle est mal, l'infortunée Liza. On lui a donné quatre-vingt-dix euros pour son alliance en or blanc et que dalle pour son diamant noir, un solitaire bidon, du toc malgré la garantie cachetée à la cire, du toc comme ses fiançailles et son grand amour à la vie à la mort.

À la mort, ah ça oui ! Ta chienne de mort à toi, pauvre salaud !

Elle file au travail en bus et métro, et allez donc : deux tickets sans réduc, quatre euros bien ronds en moins ! Elle est serveuse quai de Jemmapes au bar de l'Écluse depuis qu'Édouard l'a virée de l'agence pour faute grave : car aujourd'hui, figurez-vous, c'est une faute grave d'avoir un mari qui vous fait cocue avec la femme de ménage qu'il paye au noir, une Camerounaise mineure, le pompon !

Elle descend à République, elle court le long du canal Saint-Martin, elle arrive en retard de cinq minutes, l'horreur, plus un poil de sec, Douchka la caissière et bonne amie du patron ne dit rien, mais c'est pire quand elle n'en pense pas moins, sa lèvre mal recousue fait une vilaine moue rosâtre. Ça sent la sueur, ici, une sueur de mec, ça se reconnaît entre mille.

— J'suis à la bourre, désolée, on m'a ruiné mes pneus.

Elle se prépare au lance-pierre : tee-shirt noir *ÉCLUSE*, minijupe, chignon, gloss, déo. Elle sort ouvrir les parasols, vide les cendriers, balaie la terrasse...

— Poissonnier ! glapit Douchka.

Elle descend à la cave rincer les seize mulets déclarés « fécampois » sur le menu, elle les nettoie, les met à tremper dans l'évier avec de la glace pilée. Il y a de gros caractères chinois sur le polystyrène du paquet AIR CHINA. On parle chinois à Fécamp ? On pêche le mulet, à Pékin ?

Un petit tour par les toilettes avant de remonter, histoire de laisser un message à Noun sur l'iPhone d'Édouard, elle a peur, elle chuchote, c'est demain soir, chaton, toutes les deux, promis, une île avec des palmiers, une maison-phare « aux pieds dans l'eau », c'est rigolo, non ? Elle tire la chasse, une vraie cataracte, une bouffée de fraîcheur le long des cuisses. Elle ressort et croise aussitôt le regard de M. Félix, le tôlier, son éternel cure-dents à la bouche.

— Panne d'oreiller, mon bébé ?

Toujours dans ses pattes à la cave, celui-là. D'habitude elle entend grincer l'échelle de meunier. Il s'imagine quoi, le vieux salingue, avec sa grosse thune et son jean crado qui lui pendouille aux fesses, même pas en rêve, berk !

— Désolée, monsieur Félix. Je...

— Tu dors avec un oreiller ?

Cette respiration, cette odeur, cette chemisette maculée, ça se lave, les fringues, les pieds aussi !

— On m'a crevé mes pneus et...

— À qui tu disais « mon amour » ? Tu baises aux chiottes, maintenant ?

— ... À ma fille, répond Liza cramoisie, folle de honte, et justement j'ai besoin d'une petite avance... Dans les cinq cents... En liquide s'il vous plaît.

— Une « avance en liquide » ? dit M. Félix avec un gloussement abject. Mais tout de suite mon bébé. Maintenant contre l'évier, ça te va ? T'as qu'à te retourner si t'as peur du loup.

Le ciseau à mulets, pense Liza, dans la nuque.

— Alors en chèque, ça ira... On s'est marié à l'église avec mon mari, on a des valeurs... Un chèque de cinq cents, oui, pour demain midi.

— « Mon mari », « des valeurs », si c'est pas mignon, ricane M. Félix en tirant de sa poche un rouleau de billets fuchsia, et Liza n'ose imaginer la quantité d'argent du bonheur contenue dans cette paluche à vomir, elle voit le cure-dents s'abaisser et monter comme une barbichette de lutin.

— Et pourquoi pas mille ? dit M. Félix, l'air mauvais.

Il fait crisser les billets sous son pouce, essaie d'enlacer Liza, bas les pattes ! Elle est dos à l'évier.

— Prends les mille, bébé, fais pas chier !

Elle tâtonne sur l'évier, ils sont où ces putains de ciseaux ? Bas les pattes, j'ai dit, oh !

M. Félix recule d'un pas, détache un billet du rouleau, le jette sur la terre battue.

— Gonzesses de mes deux ! dit-il d'une voix écœurée. Va m'acheter un paquet de Craven chez le bougnoul de la Grange-aux-Belles, et gare à la monnaie ! N'oublie pas la facturette.

Chaque jour le coup des Craven pour se rincer l'œil, la voir grimper l'échelle de meunier, lui souffler sur les talons.

En traversant la passerelle au-dessus des bateaux en attente à l'écluse, Liza porta le billet à ses narines... Pas d'odeur, l'argent ? Il sent le pneu neuf, il sent l'amour, il sent la rage, il sent la peur, il sent la mort, il sent la honte, elle n'aurait jamais cru que la honte puisse sentir aussi délicieusement bon. Moins trouillarde, elle prendrait ses jambes à son cou.

Le soir, rentrée chez elle à pas d'heure, elle est au désespoir. Son avance en liquide sur le mois d'août, elle peut toujours s'accrocher un grelot, avec ce fumier ! Elle pense à Noun, à sa choupinette qui va s'estimer trahie une fois encore, et qui s'en souviendra toute sa vie. Et qui se dira : « Maman m'a menti, c'est papa qui dit la vérité, c'est elle qui ment, j'irai jamais habiter avec maman, c'est plus ma maman... » Elle revoit les billets fuchsia, l'air épanoui qu'ils avaient, resplendissants comme des fleurs. Première fois qu'elle touchait une coupure de cinq cents euros, de quoi s'acheter une maison. L'argent ne fait pas le bonheur, Liza, mais non, plaie d'argent tu t'en fous ! L'argent du beurre, l'argent du vieux porc : prends-le, prends lui mille euros, fais pas chier ! prends lui dix mille, cent mille, barre-toi en vacances à la mer avec ta gamine, éclatez-vous, oubliez tout... Coucher avec un homme pour du fric ? Avec cette ordure ? Plutôt tuer, finir en taule !

Elle appela son jumeau : en reportage à Baume-les-Messieurs. Son père : il lui raccrocha au nez. Son pote Jef : emmerdé par les huissiers de la Sécu. Édouard, toute honte bue : « Nada ! Pas un poil de cul ! » Noun vint roucouler au téléphone et Liza lui redit ce dont elle n'était plus sûre du tout, la maisonnette « aux pieds dans l'eau », la traversée en ferry, les sept bougies sous les étoiles de l'océan, la glace au citron vert sur le port, tu dors une nuit et on part, mon amour d'enfant, passe-moi ton papa…

— Je serai chez toi demain à quatorze heures précises, OK ? Et je l'emmène comme convenu à Sarnia.

— En trottinette ? En pousse-pousse ?… J'ai plus confiance, Liza. Ça n'existe pas, Zarnia.

— Sarnia ! L'île de Sarnia ! T'y connais rien. C'est moi qui suis née à la mer.

— Si tu n'es pas là à trente, je reprends la main. T'auras qu'à porter plainte, j'm'en fous, je paierai.

Liza cauchemarda, durant sa courte nuit d'insomnie, un cauchemar en boucle au sous-sol du bar. Noun pleurait, Noun portait son petit bikini bleu ciel à franges soldé au Monoprix, l'étiquette se balançait entre ses jambes, une étiquette marquée en chinois, Noun cherchait à la couper avec des grands ciseaux couverts de sang, elle répétait : « C'est ta faute, maman, ta faute… »

Inespérées, pourtant, ces vacances à la mer avec la gamine. Trop cher la France, l'étranger, trop cher partout. Puis un jour, cette annonce dans un gratuit ramassé au bord du canal : *loue maison-phare pieds dans l'eau, Sarnia, téléphoner une heure après l'heure légale du coucher du soleil*… Un peu bizarre, mais bon… Au bout du fil on lui dit qu'elle avait bien fait d'insister, que la vie passait comme une buée, que l'on avait perdu sa vieille maman, au printemps, et que depuis la maison-phare se morfondait sur la plage entre deux palmiers, deux vieux garçons mélancoliques eux aussi... Oh ! ça ne manquait pas de bateaux à tirer d'affaire, dans les parages, avec les tempêtes, la brume, les collisions, mais il faut aussi penser à soi... Les conditions ? Oh mais les conditions ne demandaient qu'à trouver un terrain d'entente, la coutume à Sarnia du moment que le phare s'allume et s'éteint aux heures légales des éphémérides, j'enverrai mon chien vous chercher au bateau, c'est un bon chien, il connaît la route, il adore les enfants.

Noun s'est fabriqué une maison-phare sur son lit. Elle a trop chaud, la maison, elle sue, elle a du mal à respirer dans la valise rouge emplie d'animaux en peluche – un dauphin, une souris, une grenouille, une panthère noire à qui manque un œil, toute une famille pingouin, un éléphant. Le phare c'est une lampe de poche qui vient de s'éteindre, et les pieds dans l'eau ce sont les bottines roses de maman qu'elle viendra récupérer plus tard. Elle a des petits pieds, maman, mais beaucoup trop grands pour elle.

Affalée au milieu des peluches, la tête en bas, les yeux écarquillés, Noun attend sa maman. C'est aujourd'hui demain, elle en est sûre, d'ailleurs elle n'a plus sommeil depuis longtemps et le soleil fait des galipettes entre les rideaux. C'est aujourd'hui demain, c'est aujourd'hui son anniversaire, elle a sept ans, c'est aujourd'hui qu'elles partent à la mer toutes les deux sur un bateau.

Des pas dans le couloir... Maman ?

— Il est midi, Nounette, dit Édouard en avançant la tête, on y va maintenant. Le taxi est en bas.

— C'est maman qui m'appelle Nounette, c'est pas toi ! Elle est là ?

— Non, chérie, le taxi oui, le compteur tourne.

— Je ne vais plus à la mer ? dit Noun, cramponnée à sa maison-phare.

— Bien sûr, tu y vas, on y va. Simplement ta maman a crevé ses pneus. Elle n'y peut rien, la pauvre, elle est désolée, dépêche-toi.

Une heure plus tard, enregistrés sur le vol AF 386 de la navette Paris-Ajaccio, embarquement 14 h 30 porte B, père et fille mangeaient des burger-frites au comptoir du café-restaurant d'Orly-Ouest, juchés sur de hauts tabourets à l'ancienne. Elle un Pepsi, lui une *16* avec faux col, la *big one*. Garçon avisé, excellent homme d'affaires – requin à ses heures – Édouard se pique de l'être, et d'ailleurs son agence tourne à fond avec les attentats. Il ne s'en plaint pas, lui, des attentats. Gentil mais pas con, s'il vous plaît !... Comme il te l'a feintée, son ex, aujourd'hui. « T'as voulu jouer ? Eh ben fallait pas. Et maintenant tu chiales. » Faut dire qu'offrir un couteau de trappeur à son mari, c'est n'importe quoi ! voyage de noces au Michigan ou pas. Une nana n'offre pas ça, bordel ! Un couteau c'est comme un flingue, ça finit par servir un jour ou l'autre, en fait tu t'en sors bien.

Il vérifia pour la énième fois les cartes d'embarquement, les sièges côte à côte à l'avant de l'appareil, – lui au hublot car il est sujet au mal d'avion.

Devant lui, Noun dessinait dans sa paume avec un stylo bille.

— Ils sont beaux, tes cœurs.

— C'est pas des cœurs, c'est des pieds.

— Ah non, ne me dis pas que tu pleures ! Ras le bol de t'entendre pleurer !

— Ben non je pleure pas, c'est pour mouiller les pieds de la maison.

Édouard lève les yeux au ciel. Bien la fille de sa mère, aussi pignouse qu'elle, montée à bloc contre lui par une salope, en toucher un mot à l'avocat... Holà calmos, Édouard, calmos, t'es en vacances, mon vieux, cool. Un mois de soleil et de grand bleu, le panard. Ouais, il faut bien ça pour décompresser dans ce boulot de barje.

— Faut que j'y aille, papa, à plus ! dit Noun soudain radieuse, et elle descend vite fait du tabouret, s'éloigne à travers le hall bondé, son stylo-bille à la main.

— Tu vas où, toi, mais qu'est-ce tu fous, reviens !

Noun ne répond pas, elle se met à courir, à crier. Renonçons à dépeindre ce que ressent Édouard en voyant Noun et Liza se tomber dans les bras, la mère soulevant sa fille comme pour la sauver du feu, la petite battant des pieds à bottines roses. C'est quoi ces conneries ? Elle me fait quoi, cette pute ? Elle sort d'où ? Il s'arrache des poumons une plainte étranglée genre ho ! ou ha ! qui signifie : « Revenez, les filles, pitié ! »

— Liza !

Liza se retourne, une minable petite Liza en tee-shirt noir *ÉCLUSE* et minijupe fendue, pas maquillée, pas coiffée, baskets aux pieds, plissant des yeux éblouis. Elle cherche, elle reconnaît sur un tabouret le père de sa fille, son ex... C'est bien lui, ce gugusse ? elle hait les chemisettes hawaïennes, mais qu'est-ce qu'ils ont tous avec leurs couchers de soleil sur le bide :

— Grâce à Dieu j'ai trouvé du fric ! dit-elle sourdement, ne s'adressant à personne, du fric !

Elle plonge une main tremblante entre ses seins, laisse entrevoir un billet fuchsia, ferme les yeux, vacille... Du fric, oh oui, du bon fric du bonheur qui pue la transpiration comme les deux autres billets qu'elle a dans son soutif et dans sa culotte, du bon fric qu'elles vont aller claquer à la mer, espèce de con, t'as jamais rien compris à la mer, la mer, la mer, la mer !

Franck THILLIEZ

Lasthénie

Une fois sa patiente sortie, le docteur Mathias Legrand s'intéressa au rendez-vous suivant. Il attrapa le dossier médical de Catherine L. Moreau, célibataire, trente-deux ans, qui consultait chez l'un des médecins traitants de Lyon. Il s'agissait de sa première visite chez un hématologue.

Le jeune spécialiste jeta un œil au résultat de ses prises de sang et en resta interloqué. Il baignait pour ainsi dire dans l'hémoglobine depuis cinq ans et c'était la première fois qu'il se retrouvait confronté à ce groupe sanguin.

Après quelques appels chez des confrères spécialisés dans les sangs rares, il fut en mesure de recevoir la jeune femme. Elle était d'une blancheur cadavérique, avec des cheveux très fins et clairsemés, des ongles en sale état, fragilisés. Une fatigue de vieille charrue pesait sur son visage. On lui donnait facilement dix ans de plus. Elle se repliait sur elle-même comme un oisillon craintif. Mathias la pria de s'asseoir et entra dans le vif du sujet.

— L'analyse de votre hémogramme indique clairement que vous souffrez d'une anémie microcytaire avec fer sérique bas. À ce que je vois, vous êtes sous Ferrovoluten et Soféron deux fois par jour, et Balféron en intramusculaire que vous tolérez bien. Cependant rien n'y fait, votre taux d'hémoglobine est aujourd'hui extrêmement bas. Malgré une anamnèse poussée, aucune cause n'a encore pu être soulevée à ce manque. C'est la première fois que vous développez ce genre de symptômes ?

— Oui.

— Votre médecin vous l'a sûrement demandé, mais pas de saignements importants, de vomissements de sang, de plaies qui pourraient expliquer la diminution du taux de globules rouges dans votre organisme ?

Elle secoua la tête sans le quitter des yeux. Mathias parcourut du regard les remarques manuscrites que le médecin traitant avait jugé bon de noter sur sa patiente. Pas de sport ni de partenaire sexuel. Rupture amoureuse quelques mois plus tôt, déménagement. Il avait également ajouté, souligné en rouge : *Multiplie les consultations au sujet de migraines, de troubles digestifs ou de problèmes de sommeil. Ces dernières semaines, elle a passé ses journées en centre du sommeil, en neurologie et en gastroentérologie. La batterie d'examens dans les différents services n'a rien donné. La patiente est devenue anémique par la suite.*

En ce qui concernait Mathias, le diagnostic médical de l'anémie ne laissait aucun doute. Même physiquement, Catherine présentait toutes les caractéristiques de la patiente en manque de fer et de globules rouges. Elle souffrait de graves carences qu'il fallait prendre en charge au plus vite, parce que son corps était en train de dépérir. Elle était comme une vieille Cadillac buvant ses dernières gouttes d'essence avant la panne.

— Nous allons devoir vous garder à l'hôpital pour des examens complémentaires poussés.

Elle prit la nouvelle avec calme, comme si elle s'attendait à ce verdict.

— Vous allez me transfuser ?

— Oui, il y a plus qu'urgence, répliqua Mathias. Le problème, c'est votre groupe sanguin. J'attends un retour de la Banque nationale de sang de phénotype rare située à Créteil pour savoir s'ils disposent de réserves, ce qui est loin d'être sûr. Mademoiselle Moreau, êtes-vous consciente de la rareté de votre sang ?

— Il paraît que nous serions moins de quarante personnes au monde à avoir ce groupe, le *Rhnull*. Je le sais depuis mes quatorze ans, lorsqu'on m'a opérée suite à une fracture ouverte. On m'a transfusée avec le sang d'une autre personne *Rhnull*. Les poches provenaient de cette banque dont vous me parlez, je crois.

— Pas de don du sang récent ? Cela pourrait expliquer l'anémie et...

— Je ne donne pas mon sang.

— On ne vous a jamais conseillée en ce sens ? Vous le savez, votre sang est très précieux, c'est le sang le plus universel au monde. Seules les personnes comme vous peuvent sauver les vies d'autres individus au sang extrêmement rare.

— On m'a déjà demandé, bien sûr. Mais non, je ne donne pas mon sang.

Sa réponse était cinglante, incompréhensible, elle qui, plus jeune, avait pu être opérée en toute sécurité grâce à un généreux donateur anonyme.

Le médecin la considéra avec désarroi. Il ne voulait pas la juger, elle avait sans doute ses raisons. Mais la première chose qu'elle avait demandée était de savoir si elle pouvait être transfusée. On aime recevoir, mais on n'aime pas donner.

— C'est dommage, confia-t-il. Votre propre don aurait pu vous servir pour une autotransfusion aujourd'hui. Espérons que quelqu'un d'autre aura, lui, estimé cela plus utile que vous et qu'il reste des poches à la Banque du sang rare. Sinon, la situation risque d'être compliquée.

*
* *

La mère de Nathanaël l'avait toujours protégé comme une porcelaine fragile, dès le plus jeune âge. Il n'avait jamais eu le droit de courir dans la cour de récréation ni de faire du vélo ou du patin à roulettes. Il suffisait qu'il revienne à la maison avec un genou en sang – on se blesse toujours aux articulations quand on est gamin – pour que sa mère pique une crise et l'enferme dans sa chambre de longues journées. Ce liquide rouge au goût de cuivre, à l'odeur de métal tiède, la rendait folle. Nathanaël n'avait strictement pas le droit de se blesser. Perdre son sang, c'était pour lui – et encore plus pour elle – synonyme de mort. Pourtant, c'était elle qui était partie la première. Décédée le jour de ses treize ans. Celui de Noël, aussi.

Trente ans plus tard, Nathanaël saignait encore de sa disparition.

Par la fenêtre de la salle blanche et aseptisée, les Alpes coiffées de neige resplendissaient, le lac Léman scintillait à leurs pieds. Nathanaël avait aujourd'hui quarante-trois ans et, comme à chaque Noël, il se rendait dans un établissement du sang ouvert en ce jour spécial. En Suisse, là où il habitait, il n'existait pas de banque de stockage pour ce si précieux liquide, alors il se déplaçait à ses frais, prêt à offrir généreusement un demi-litre de l'or rouge qui coulait dans ses veines. À cause de la gratuité du don, on ne pouvait même pas lui envoyer un taxi ni lui payer une nuit d'hôtel.

Il n'y avait quasiment personne dans l'établissement. Les gens étaient tous chez eux, à offrir leurs cadeaux, à déjeuner en famille, à se réchauffer au coin de la cheminée. Nathanaël ferma les yeux et imagina la joie des enfants le nez dans leurs nouveaux jouets. Les rires, les éclats de vie lui manquaient tellement. Lui, il aurait juste son chat à caresser en rentrant ce soir.

Un infirmier arriva et le tira de ses pensées. Il débuta une série de gestes précis en vue de la collecte. Nathanaël lui tendit son bras. Il avait l'habitude, il donnait son sang au moins huit fois par an dans divers pays d'Europe. C'était deux fois la limite autorisée en France mais, avec le changement de pays, tout le monde n'y voyait que du feu.

Une heure plus tard, après avoir avalé un sandwich qui lui redonna un peu de couleurs, il erra dans les rues vides et balayées par un vent glacial. Fatigué. Affaibli. La multiplication des dons au-delà du raisonnable l'épuisait.

Cette fois-là, il n'avait ni la force ni l'envie de rentrer chez lui. Il se retrouva alors à boire un verre au seul bar ouvert de Thonon. Whisky-glace, histoire de recharger les batteries. Personne ne traînait dans l'établissement, hormis la serveuse, une petite femme nerveuse et vive comme l'eau d'une cascade. Elle devait avoir la trentaine, peut-être trente-cinq. Son visage fin rayonna de lumière lorsqu'elle lui apporta son alcool. Elle resta immobile deux, trois secondes, à l'observer – elle le contemplait vraiment comme une antiquité romaine – puis lui sourit timidement.

— On est comme deux chats égarés, on dirait.

— Moi plus que vous. J'ai parcouru cent kilomètres pour venir ici. Je suis suisse.

Elle n'était pas spécialement belle mais dégageait un charme qui lui plaisait, pareille à ces pierres brutes qu'on trouve dans les montagnes et qui ne demandent qu'à être taillées. Ils nouèrent la conversation – difficile de faire autrement dans une grande pièce vide – et trinquèrent à leur rencontre.

— Joyeux Noël. Moi c'est Lasthénie.

— Nathanaël.

— Et qu'est-ce qui vous vaut d'être ici, dans mon minable petit café, un soir de Noël ?

Il leva son verre.

— Je fête mon cinquantième litre.

— De whisky ?

— De sang. Je viens de donner ma centième poche à deux rues d'ici. Je fais ça depuis mes dix-huit ans à travers toute l'Europe. L'Angleterre, la Hollande, l'Italie, la France… Partout où il y a des congélateurs pour stocker les poches. Ça me coûte une fortune en déplacements, mais…

Il se réfugia sur son verre, baissa les yeux, les releva.

— C'est aussi mon anniversaire, aujourd'hui. Un 25 décembre.

Ils étaient comme deux étoiles qui s'attirent tellement qu'elles finissent par entrer en collision. En astronomie, on appelait cela une catastrophe. En amour, un coup de foudre.

— À votre anniversaire, à Noël, et à vos cinquante litres. Mais éclairez ma lanterne : pourquoi tant voyager pour donner votre sang ?

— Parce qu'il est de type *Rhnull*. Il ne possède aucun des cinquante-quatre antigènes du type rhésus, d'où son nom, *rhésus null*. On serait moins d'une personne sur deux cents millions à posséder ce type de sang. C'est difficile d'établir des statistiques, car il y a ceux qui ne se manifestent pas, malheureusement, ou ceux qui refusent de donner, ce qui est un vrai outrage à la vie quand on possède un sang si rare.

Elle le fixait avec intensité, immobile, subjuguée.

— Vous gardez ça pour vous, poursuivit Nathanaël, mais je sais qu'en France, je suis le seul donneur identifié. Et si je me déplace tant que ça, c'est parce qu'il est plus difficile de faire passer une poche de sang d'un pays à l'autre qu'une tonne de drogue. Et quand les gens ont besoin de sang, en général, ils ne peuvent pas attendre les formalités administratives.

Il versa une nouvelle rasade dans leurs deux verres.

— C'est ma tournée. Dites, en vivant si proche d'une maison du don, vous offrez vous aussi un peu de votre sang, j'espère ?

Elle porta ses deux mains autour de son verre, fixa le liquide ambré quelques secondes.

— Oui, oui, ça m'arrive de temps en temps. Mais mon sang est bien plus commun que le vôtre.

— Commun ou pas, vous faites un beau geste, vous contribuez à sauver des vies. Donner un peu de soi-même aux autres, c'est le plus important.

Ils discutèrent encore longtemps, jusqu'à ce que l'obscurité ensevelisse la ville. Dans ce petit troquet, les lois du temps et de l'espace n'existaient plus. Ils étaient là, rien qu'eux deux, et ils étaient bien. Lasthénie s'approcha de la fenêtre juste derrière eux et observa l'étoile la plus brillante dans le ciel.

— Notre rencontre, ce ne peut pas être un hasard. Vous croyez au destin, Nathanaël ?

★
★ ★

Suite à sa transfusion et à une modification de son traitement, l'état de Catherine L. Moreau s'était amélioré. Son taux d'hémoglobine avait remonté. Durant son séjour à l'hôpital, les examens – gastroscopie, hémoccults sur selles, transit digestif et lavement baryté – n'avaient rien soulevé d'anormal.

Mais trois semaines plus tard, elle était de retour en consultation, la peau aussi fine et transparente qu'un calque d'écolier. Pourtant, Catherine prenait ses médicaments à la lettre, l'infirmière à domicile pouvait en attester. Vu son état de faiblesse, le médecin décida de l'hospitaliser et de réaliser une nouvelle batterie d'examens encore plus coûteux et approfondis : coloscopie, gastroscopie avec biopsie duodénale, scintigraphie, artériographie mésentérique supérieure et inférieure… Encore une fois, tous se révélèrent négatifs.

Compte tenu de la valeur dangereusement basse de l'hémoglobine et d'une absence de réserve en fer au niveau de la moelle osseuse, il lui fallait dans les plus brefs délais quatre unités de globules rouges. Heureusement, il en restait six à la Banque de sang rare. Mathias apprit que ces poches de *Rhnull* n'avaient jamais servi, hormis pour une fracture ouverte de cette même patiente dix-huit ans plus tôt.

Après quelques jours d'hospitalisation, tous les voyants revinrent au vert, l'anémie régressait, et Catherine repartit chez elle en pleine forme, avec un traitement à titre d'entretien. En bon médecin universitaire, Mathias Legrand avait réalisé tous les examens et soins qu'il fallait, il n'avait commis aucune faute. Mais il était jeune, et il aurait sans doute dû essayer de pousser plus loin la compréhension de ce cas, et non juste poser des pansements sur des jambes de bois. Parce qu'un mois plus tard, début décembre, Catherine revenait aux portes de son hôpital avec un taux d'hémoglobine qui allait nécessiter deux nouvelles poches d'or rouge.

Mathias Legrand aurait dû en parler à ses confrères, mais il n'en fit rien par fierté. Il assécha donc la Banque française du sang rare en *Rhnull*. Il se renseigna sur les modalités de transfert de poches en provenance d'autres pays, en cas de future rechute de sa patiente, mais se heurta à des murs : plus personne ne lui fournirait ce précieux liquide pour un cas qu'il devait absolument s'efforcer de résoudre.

Ainsi, il explora le corps de Catherine de toutes les façons possibles, multipliant les nouveaux examens qui coûtèrent une fortune à l'hôpital. La jeune femme se laissait faire et ne se plaignait pas, malgré la fatigue et les contraintes.

Cette fois, Mathias se refusa à la laisser sortir de l'établissement lorsque l'hémoglobine remonta. Il ne pouvait se permettre une récidive et en fit un cas personnel : il voulait comprendre. En dehors des consultations, il passait donc tous les jours dans la chambre de Catherine, discutait avec elle, vérifiait les données dressées par les infirmiers. Alitée, sa patiente semblait aller de mieux en mieux, retrouvait le moral, les taux étaient bons. Mathias se surprit plusieurs fois à parler de choses très personnelles avec elle. Catherine avait cette faculté à vous pousser à vous confier à elle.

Elle demanda qu'il reste un peu au réveillon de Noël. Mathias sacrifia donc une partie de la soirée avec sa femme pour le bien-être de sa patiente. Et parce qu'il se sentait bien à ses côtés. Il la quitta à 22 h 30.

Le jour de Noël, à 9 heures, ce qui devait arriver arriva. La chute de l'hémoglobine avait été si brutale durant la nuit que, par réflexe, l'infirmière vérifia qu'il n'y avait pas de sang dans le lit, ni de coupure sur le corps de Catherine. Rien. Pas une goutte. La surface de sa peau fut scrutée avec attention. On ne décela aucune plaie, aucune trace d'aiguille dans une veine.

Devant l'incompréhension de ce cas, Mathias était anéanti et pris dans une spirale infernale. Il lui fallait deux nouvelles poches de sang en toute urgence. Il appela la Banque française de sang rare, au cas où le seul donneur de *Rhnull* se serait manifesté depuis la dernière fois. Mais les coffres étaient toujours vides. En désespoir de cause, il demanda qu'on lui fournisse l'identité de ce généreux citoyen, qu'il pourrait essayer de convaincre à venir donner son sang à nouveau. On refusa : les voies de la bioéthique étaient impénétrables.

Aussi, en ce matin de 25 décembre, l'hématologue s'assit au chevet de sa patiente et se fit un devoir de lui dire la vérité.

— Je n'arrive plus à trouver de sang, mais j'ai lancé des demandes partout. Je ferai tout ce qui en mon pouvoir pour vous aider.

Catherine parvint à lui adresser un sourire.

— Il faut croire en la magie de Noël.

Visiblement, quelqu'un avait entendu les mots de Catherine, car lorsque Mathias rentra chez lui, il trouva un e-mail anonyme dans sa messagerie :

Le donneur de Rhnull que vous cherchez s'appelle Nathanaël Marquette, il vit en Suisse. Vous le trouverez sur les réseaux sociaux.

Un médecin qui veut vous aider.

Mathias n'en croyait pas ses yeux. Qui voulait l'aider ? Un confrère de l'hôpital ? Un employé de la banque de sang rare qui avait entendu sa requête ? Il se connecta à Facebook et trouva en effet un individu du nom de Nathanaël Marquette en Suisse. Le profil était privé, alors il envoya un message en espérant que le mail anonyme disait vrai. En quelques lignes, il expliqua sa situation. C'était la première fois de sa vie qu'il agissait de la sorte mais en ce jour de Noël, le jeune médecin était prêt à tout pour sauver sa patiente.

★
★ ★

Les premières semaines furent merveilleuses. Nathanaël et Lasthénie vivaient une idylle parfaite. Elle au café la journée, lui qui l'attendait le soir, multipliant les allers-retours entre la France et la Suisse. Restaurants, soirées romantiques au bord du lac, week-ends en amoureux dans l'appartement de Nathanaël au cœur des montagnes. Après trois mois, il voulut qu'ils aillent donner leur sang en Italie et en profitent pour s'offrir quelques jours à Rome, mais Lasthénie resta clouée au lit à cause d'un mal de ventre. Il partit seul.

À son retour, le serpent de la discordance commença à se glisser dans le couple. Lasthénie se révéla d'une nature très jalouse, possessive, et lui reprocha chacune de ses absences – Nathanaël était chauffagiste et ne comptait pas ses heures. Et elle avait ce besoin permanent d'être au centre de l'attention et qu'on s'occupe d'elle. D'un autre côté, elle trouvait Nathanaël trop altruiste, trop naïf vis-à-vis du monde qui l'entourait. Que cherchait-il vraiment en arrosant l'Europe de son sang ? À sauver le monde ? À quoi bon s'user ainsi la santé ? Elle avait bien vu que chaque don l'affaiblissait davantage, qu'il mettait de plus en plus de temps à s'en remettre et que s'il continuait comme ça, c'était lui qui aurait besoin d'aide. Qui lui viendrait en aide s'il était en difficulté ? Personne. Lasthénie était sûre d'une chose : cette mission qu'il s'était confiée depuis ses dix-huit ans le détruisait progressivement.

Nathanaël n'apprécia ni le propos ni le comportement de Lasthénie. Il décida de rompre. Elle le supplia, se battit pour recoller les morceaux, s'accrocha à lui de toutes ses forces, mais ils étaient devenus comme deux groupes sanguins incompatibles.

Dans les temps qui suivirent, la situation dégénéra au-delà de tout ce que Nathanaël aurait pu imaginer. Le calvaire commença par des coups de téléphone anonymes, jusqu'à ce qu'il change de numéro. Puis des e-mails de menaces, anonymes eux aussi, comme « *On ne sait jamais ce qui pourrait vous arriver en traversant la rue* » (elle le vouvoyait volontairement) ou « *Vous allez comprendre le sens du mot souffrance* » suivirent.

Quand arrivèrent les couches sales de bébé sur le pare-brise de sa voiture, il porta plainte mais l'affaire n'était pas allée bien loin : la police manquait de preuves, n'arrivait pas à retracer les e-mails ou les messages téléphoniques et puis Lasthénie vivait de l'autre côté de la frontière, ce qui compliquait toute forme de procédure.

Les semaines suivantes, Nathanaël prit toute la mesure de toute la perversité de son ex-compagne : une parfaite calculatrice, planificatrice retorse, qui continuait à agir par tous les biais sans jamais se faire prendre. Un jour, il retrouvait les pneus de son utilitaire crevés. Un autre, c'était l'interphone de l'immeuble qui était dégradé, ou les poubelles qui étaient répandues devant son appartement. Jamais de témoins ni d'empreintes. Nathanaël prit vraiment peur le jour où il retrouva son chat mort dans le jardin à l'arrière de la résidence. La pauvre bête avait été empoisonnée.

Cette femme était folle, il se rendit compte qu'elle était prête à le détruire par tous les moyens. La prochaine fois, elle s'en prendrait à lui, c'était sûr.

Puisque la police ne faisait rien, il fonça vers Thonon pour régler ses comptes. Mais il découvrit que le café avait été remplacé par un magasin de chaussures, et que Lasthénie avait vendu son appartement. Elle avait disparu de la circulation.

Pourtant le harcèlement se poursuivait, inlassablement. Alors, il décida lui aussi de déménager. Il se trouva un autre appartement à quatre-vingts kilomètres plus à l'est, sans révéler à quiconque où il partait habiter. Il stressa les premiers jours, mais n'eut plus jamais de nouvelles et put reprendre une vie normale, partagée entre son travail et ses coûteux voyages pour donner son sang.

Neuf mois après sa rupture, fatigué par l'aller-retour qu'il venait de faire en Hollande afin de réaliser un nouveau don, il recevait un message alarmant d'un certain Mathias Legrand, hématologue français qui avait un besoin urgent de son sang.

On était le 26 décembre.

★
★ ★

Le 27 décembre, Mathias était allongé dans un lit d'hôpital, une perfusion dans le bras. Le docteur Legrand le scrutait avec attention.

— Vous êtes très blanc. Êtes-vous certain d'aller bien ?

— Ne vous inquiétez pas, c'est toujours comme ça, mentit Nathanaël en fermant les yeux.

— On ne peut prélever que trois cents millilitres si vous voulez et...

— Non, prenez cinq cents.

Tout lui tournait mais il ne voulait rien laisser transparaître, et ne surtout pas parler de son voyage en Hollande. Pour la première fois depuis ses dix-huit ans, il voyait l'application directe de son don :

il allait vraiment sauver une vie, celle d'une autre patiente *Rhnull*. C'était réel, concret, et ça se jouait, là, maintenant. Aussi espérait-il que son corps tiendrait le coup, que son organisme se battrait pour régénérer ce litre de sang perdu en trois jours.

De son côté, Mathias s'était évidemment renseigné sur la possibilité du don. La loi française prévoyait un délai de soixante et un jours entre deux dons successifs et d'après les données, la dernière fois où son patient avait donné son sang remontait à un an.

Une fois le sang pompé, Nathanaël engloutit sa collation. Ses mains tremblaient.

— Une poche ne suffit pas, n'est-ce pas, docteur ?

— Elle va nous aider à tenir, mais… non, il en manquera une pour que ma patiente s'en sorte.

— Dans ce cas, je reviendrai dans quatre jours, le 1er janvier, le temps de m'en remettre un peu. Et vous me prendrez les cinq cents autres millilitres manquants.

— Je ne peux pas faire une chose pareille.

— Si, vous pouvez. Vous enregistrez la poche de sang d'aujourd'hui comme vous le faites d'habitude et vous notifiez mon don. Par contre, vous ne le ferez pas la prochaine fois. Vous transfuserez les deux poches à votre patiente. Nous serons le 1er janvier, le personnel sera restreint. Personne n'ira vérifier dans le fichier si vous auriez dû disposer d'une ou de deux poches.

— Oui, mais vous ?

— Mon corps supportera, il a l'habitude.

Nathanaël lui serra le bras.

— Je l'ai déjà fait. Je tiendrai le choc. Cette patiente, elle en vaut vraiment la peine, docteur ?

À la façon dont Mathias Legrand serra les lèvres, Nathanaël comprit qu'il y avait autre chose qu'une simple relation médecin-patient.

— Je suppose que oui... souffla Nathanaël en s'éloignant.

Il n'eut pas la force physique de rentrer chez lui. Il se trouva un hôtel à deux pas de l'hôpital et s'effondra sur le lit. Quant à Mathias, il se rendit au chevet de Catherine et lui apprit qu'il disposerait des deux poches d'ici quatre jours. Elle lui prit la main et le fixa avec ses yeux d'oiseau fragile.

— C'est bien docteur. C'est bien tout ce que vous faites pour moi.

— Je n'y suis pour rien. C'est ce généreux donateur qu'il faut remercier. Le destin est incroyable, car c'est aussi lui qui a fourni le sang lorsque vous avez été opérée de votre fracture à vos quatorze ans.

— Je pourrai le voir, vous croyez ?

— Je suis désolé. Mais il doit conserver l'anonymat.

Ils parlèrent longtemps. Lorsqu'il rentra chez lui auprès de sa femme, Mathias n'avait plus qu'un visage en tête. Il lui arrivait ce qui pouvait arriver de pire à un médecin : il était en train de tomber amoureux de sa patiente.

Et, bien sûr, cela le rendait aveugle.

*
* *

Nathanaël n'avait pas encore récupéré lorsqu'il se présenta à l'hôpital pour le jour de l'An. Picotements dans les membres, fatigue, impression de se mouvoir au ralenti... Il avait bu beaucoup de jus de carottes pour se donner un bon teint, avalé un gros steak de bon matin et but une grande quantité de lait.

Il se sentit flottant dès les premiers centilitres prélevés et eut la sensation que la vie le quittait par le petit tuyau transparent. Nathanaël aurait aimé être différent des autres, se faire prélever un litre et demi de sang en une semaine et surmonter l'épreuve... D'un autre côté, il y avait quelque chose d'agréable à se trouver dans cet état, avec l'impression fugace de voler au-dessus d'un grand champ de blé et de lentement s'éloigner vers la lumière.

Il puisa dans ses ultimes réserves pour se traîner en dehors de l'hôpital et regagner la banquette arrière de sa voiture, sur laquelle il s'effondra. Un visiteur donna l'alarme le lendemain. Nathanaël se retrouva à nouveau sur un lit d'hôpital, perfusé de partout, anémié à son tour. Son corps usé n'arrivait plus à produire les globules rouges nécessaires à sa propre survie. Il allait lui falloir, dans les prochains jours, une transfusion pour relancer la machine.

Mais où trouver le précieux liquide ?

Quelques chambres plus loin, Catherine, transfusée la veille, se sentit pleine de vie et d'énergie, comme un vampire après son repas de sang. Ce ne fut pas le docteur Legrand qui vint la voir, mais Jacques Dutour, un remplaçant. Mathias Legrand avait été momentanément suspendu de ses fonctions pour deux raisons : la première, il avait fait de ce cas une affaire personnelle et n'avait pas suffisamment alerté l'hôpital sur la gravité de la situation. La seconde, il avait fait se mordre la queue au serpent : il avait anémié un patient pour en sauver un autre.

À cette annonce, Dutour remarqua immédiatement le sourire incompréhensible sur les lèvres de Catherine et comprit alors que quelque chose clochait. Il ne la lâcha plus. Il scruta son dossier médical à fond, échangea longuement avec le médecin traitant, fit venir un psychologue qui mit en lumière l'enfance difficile de Catherine. Mère alcoolique qui la battait, père passif. Le corps médical avait souligné la rareté de son sang et encouragé le don dès dix-huit ans, mais la mère avait menacé sa fille : jamais elle ne donnerait une goutte de son sang si on ne la payait pas. Or, le don était gratuit en France.

Catherine révéla qu'elle avait été traumatisée par ses premières menstruations, car jamais ses parents ne lui avaient expliqué quoi que ce soit. Son rapport au sang était particulier. Très vite, le psychologue mit en évidence que la violence ressentie à l'égard de ses parents se retournait contre elle-même sous forme d'automutilation : se vider de son sang par des rituels de coupures lui permettait de se purifier. C'était aussi un moyen de provoquer la figure maternelle, de « donner » son sang malgré les interdictions.

La multiplication récente des visites médicales et des demandes d'examens témoignait d'une volonté d'être prise en charge et de défier les spécialistes, à défaut de défier sa mère décédée.

Le psychologue éprouva alors une certitude : Catherine devait volontairement se saigner pour provoquer l'anémie, et pour qu'on s'occupe d'elle. À nouveau, ils auscultèrent chaque centimètre carré de sa peau à la loupe. Rien. Le docteur Dutour, qui avait par le passé travaillé en toxicologie, tenta une dernière chose : il demanda à Catherine d'ouvrir la bouche et de soulever la langue. Certains toxicomanes se piquaient juste sous le muscle, à cet endroit particulièrement discret et irrigué en sang.

Lorsque Catherine se braqua et refusa, il sut.

Ils trouvèrent alors de multiples coupures. Catherine avoua qu'elle se saignait au-dessus des toilettes et tirait la chasse d'eau. Qu'elle n'y pouvait rien, que c'était plus fort qu'elle. Les médecins pensaient avoir percé son secret et lui colleraient d'ici deux jours un psychiatre sur le dos, mais ils étaient loin d'imaginer son véritable dessein.

Ce soir-là, elle s'arrangea pour garder le couteau de son plateau-repas et sortit discrètement. Elle se mit à parcourir les différents couloirs, jeta un œil dans chaque chambre et finit par trouver l'individu qu'elle cherchait. Elle pénétra dans la pièce et ferma derrière elle. Il dormait.

Elle s'agenouilla devant lui et le réveilla, positionnant le couteau sous sa gorge.

Les yeux de Nathanaël s'écarquillèrent.

Face à lui, Lasthénie. Catherine Lasthénie Moreau. Et le poison de sa voix glissa jusqu'à ses oreilles :

— C'est pour te retrouver que je me suis saignée. On dirait bien que tu t'es jeté dans la gueule du loup.

REMERCIEMENTS

Chers lecteurs,

Nous tenons à remercier les équipes d'Univers Poche et tous nos partenaires solidaires de la chaîne du livre et de sa promotion, ayant permis à cette belle opération de voir le jour :

Pour l'aide juridique :
SOGEDIF

Pour les textes :
Les 13 auteurs

Pour la couverture :
Jean-Charles de Castelbajac

Pour la fabrication :
SOGEDIF

Pour la photocomposition :
POINT 11
NORD COMPO

Pour l'impression et le papier :
Stora Enso Paper
International Paper
MAURY Imprimeur
CPI Brodard et Taupin

Pour la distribution et la diffusion :
Interforum

Pour la promotion :

Outils de communication : Agence Stéphanie
Aguado / Les Hauts de Plafond
Radio : Europe 1 / Nova / OÜI FM
Presse : *L'Express* / *L'OBS* / *Le Point* / *Télérama* /
ELLE / *Le Figaro Littéraire* / *Society* / *LiRE* /
Le Parisien Magazine / *Libération* / *Grazia*

Ainsi que :
Agence DDB / Agence Oculture
Culture Papier
Piaude Design graphique
Agence Cook and Com Sonia Dupuis

Et tous les libraires de France !

L'équipe éditoriale des éditions Pocket

Vous découvrirez ici la liste de l'intégralité
de nos partenaires solidaires.

Composition et mise en pages
Nord Compo à Villeneuve-d'Ascq

Imprimé en France par CPI
en octobre 2016

POCKET – 12, avenue d'Italie – 75627 Paris Cedex 13

N° d'impression : 3018451
Dépôt légal : novembre 2016
S27126/01